Lo que piensan los adolescentes

Olvídate de todas las malas noticias y t[illegible] en un día lluvioso. Es un tesoro para ado[illegible]as de amigos, familias amorosas, extraños de cora[illegible]s de todos los días. Historias que te animarán, te harán [illegible]ntro de ti mismo y te dejarán sintiéndote bien. ¡Adolescentes, es[illegible]ibro de historias conmovedoras, es definitivamente para nosotros!

Shanna Stroebel
15 años

Historias para el corazón de un adolescente es sobre batallas y gozos de la vida real. Me reí, lloré, fui exhortada, entendida, y "viví" con los personajes de las historias. Hay tantos temas distintos que todos encontrarán algo que se relacione a su propia vida. Recomiendo este libro a cualquier adolescente que necesite ánimo, consejo, reírse, o simplemente, compartir buenas historias que toquen su corazón.

Danae Jacobson
15 años

Las historias son muy buenas. Algunas me hicieron llorar, y otras me hicieron reír.

Heather Schwarzburg
15 años

Creo que este libro hablará al corazón de los adolescentes. Abarca todos los aspectos de la vida de una forma que da ánimo. Desde los amigos hasta la verdad, desde el amor hasta los tiempos difíciles; cuenta muchas lecciones a través de historias en una forma fácil de leer.

Sarah Mc Ghehey
17 años

Este libro tiene historias que se aplican a la vida diaria de las personas; ¡debes leerlo si quieres llorar, reír y aprender algunas lecciones en la vida! ¡Lo recomiendo a todos los adolescentes! Se aplica a todos nosotros de una u otra forma.

Kristina Mc Aulay
15 años

Las historias me hicieron ver que los milagros de Dios no siempre son inmensos; hay muchos milagros pequeños que pasan inadvertidos, sin embargo, siguen siendo grandes milagros.

John Roberts
17 años

Siento que este libro, tal como otros libros de la colección *Historias para el corazón*, cambiará la vida de las personas. Sólo el leer estas historias, ha cambiado la forma en que veo las cosas. Me hizo pensar en mis acciones y me trajo a la mente muchos recuerdos. Espero que toque el corazón de otras personas tal como tocó el mío. No son simplemente historias, son la vida real. Gracias por las historias, Alice.

Sheena Lynnelle Shuck
14 años

Realmente me gustó porque puedo identificarme con estas historias. Son inspiradoras, divertidas, tristes y dulces.

Allison Knapp
17 años

Al leer el libro sentía como si estuviera mirando mientras ocurría cada historia. Algunas me hicieron reír y otras llorar. Me conmovieron y creo que también conmoverán a otros adolescentes.

Stephanie Joy Howrey
16 años

Esta es una recopilación increíble de historias excelentes que te harán desear seguir leyendo. Algunas de ellas vienen directamente de la pluma de gente que estuvo recientemente en las noticias, y se hicieron más reales. Eso las hizo más notables para mí.

Jeremy Morris
14 años

Historias de aliento para el Corazón del Joven

Más de 100 historias

que conmoverán su alma.

COMPILADO POR ALICE GRAY

Se han hecho todos los esfuerzos posibles para proveer en este volumen las fuentes de origen de forma apropiada y precisa. Si alguno de estos atributos ha sido incorrecto, los publicadores darán la bienvenida a la presentación de documentos que apoyen la corrección para las próximas impresiones del libro. Para el material que no sea de dominio publico, las selecciones fueron hechas de acuerdo a lo que generalmente se acepta en su uso justo y práctico. Los publicadores reconocen agradecidos la cooperación de editores e individuos, dando el permiso necesario para el uso de las selecciones. Favor de ver la bibliografía para las fuentes correspondientes.

Publicado por **Editorial Unilit**
Miami, Fl. 33172

Primera edición 2002 (*Spanish translation*)

Originalmente publicado en ingles con el titulo:
Stories for a Teen's Heart por
Multnomah Publishers, Inc.
204 W. Adams Avenue,
P. O. Box 1720,
Sisters, Oregon 97759 USA.

Traducido al español por: Keila J. Porta

Producto 495047
ISBN 0-7899-0870-0
Impreso en Colombia
Printed in Colombia

Celebrando—

LOS ADOLESCENTES DE HOY, QUE SON EL FUTURO DE MAÑANA

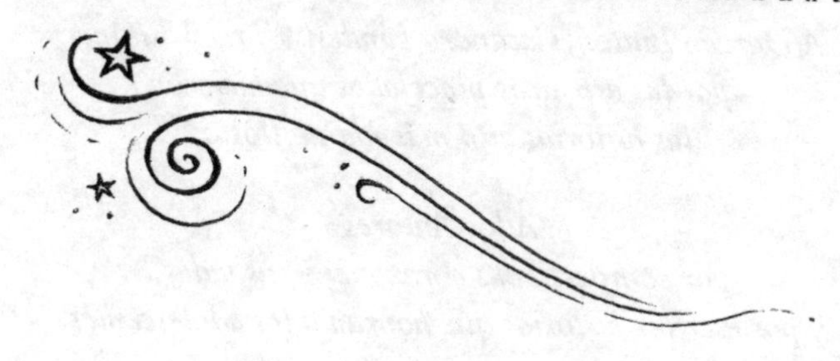

Un agradecimiento especial

A Jennifer Gates
por poner tu corazón y tu alma en este proyecto.
Has sido un regalo especial de Dios para mí.

A Cliff Boersma y Marlene Miller
por su apoyo constante durante todo
el tiempo que los necesitamos.

A Danae Jacobson, quien tiene sólo quince años,
por su creatividad al escribir. Todas las citas que se usan en
las páginas divisorias se escogieron de su composición:
"Cosas que he aprendido últimamente".

A Doreen Button, Casandra Lindell y Tracy Sumner
por las artísticas pinceladas que hicieron
las historias aun más maravillosas.

A los Autores
por compartir sus corazones y sus vidas,
y por escribir historias que honran a los adolescentes.

A Doreen Button, Robin Gerke, Aura Royer,
Lenette Stroebel y Sauna Winsor
por su extraordinario trabajo de investigación.

A Stephanie Howrey, Danae Jacobson, Allison Knapp,
Kristina McAulay, Sarah McGhehey, Jeremy Morris, Rachel Neet,
John Roberts, Heather Schwarzburg, Sheena Lynnelle Shuck,
Shanna Stroebel, y Mary Tennesen
por su perspectiva e inspiración de adolescentes.

A mi querido esposo, Al,
por siempre darme ánimo.

Contenido

Familia

Inspiración

Amigos

Palabras de aliento

Buenos tiempos

Haciendo la diferencia

Cambios

Fe

Reconocimientos

Familia

Cosas que he aprendido últimamente ...

Que mirar a la gente a los ojos es una muestra de respeto,
que mi abuela es mi amiga,
que los recuerdos son tesoros que debes conservar,
que nunca quiero ser demasiado grande para recibir
un abrazo de papá.

El sacrificio del amor

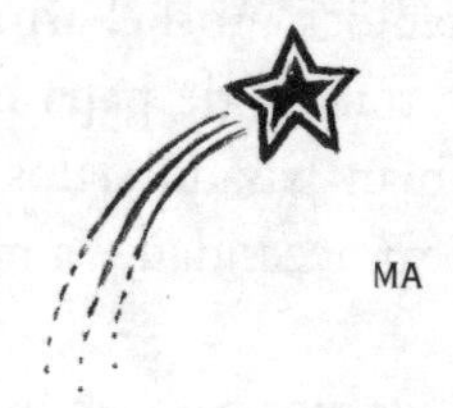

MA

Asistir a una secundaria de gente adinerada no fue fácil. Yo veía con envidia cómo muchos de los chicos "ricos" conducían los automóviles deportivos de sus padres y presumían de dónde habían comprado su ropa de marca. Yo sabía que nunca podría competir con su nivel adinerado, pero, también sabía que era prácticamente un crimen usar la misma ropa dos veces el mismo mes.

Viniendo de una familia de cinco, con un presupuesto estricto no nos permitía mucho espacio para estilo. Eso no me detenía de repetirle a mis padres constantemente que necesitaba ropa nueva, más a la moda. Mi madre fruncía el ceño. "¿Realmente la *necesitas*?", me preguntaba. "Sí", le respondía yo decididamente, "la necesito".

Y así, salíamos de compras. Mamá esperaba afuera del vestidor mientras yo me probaba la ropa más bonita que podíamos comprar. Recuerdo muchas de esas "salidas necesarias". Mamá siempre iba sin reclamar, nunca se probaba nada, aunque miraba algunas cosas.

Un día cuando estaba en casa, me probé uno de mis trajes nuevos y lo modelé frente al espejo de cuerpo entero del dormitorio de mis padres. Mientras decidía qué zapatos se verían mejor con el traje, dirigí la mirada a su armario, que estaba un poco abierto. Lo que vi me hizo llorar. En el lado de la ropa de mamá colgaban tres blusas. Tres blusas que ella se había puesto incontables veces y que estaban viejas y desteñidas. Abrí el armario para descubrir unas cuantas camisas de trabajo de papá que se había estado poniendo por años. Habían pasado siglos desde que ellos se compraran algo, aunque su necesidad era mucho mayor que la mía.

En ese momento abrí los ojos para ver los sacrificios que mis padres habían hecho a través de los años, sacrificios que me mostraron su amor de una forma más poderosa que cualquier palabra que pudieran haber dicho.

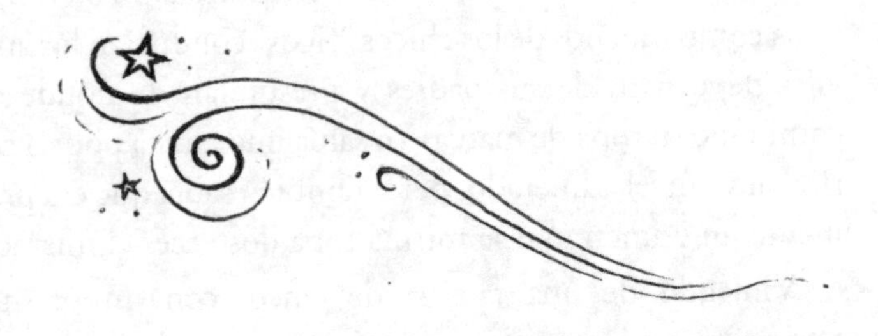

Siete palabras

Nunca olvides las siete palabras
más importantes en cualquier familia:
Te amo.
Eres apuesto.
Por favor, perdóname.

–H. Jackson Brown, Jr.

Una cita para la fiesta de fin de año

SEAN COVEY

TOMADO DEL LIBRO "THE 7 HABITS OF HIGHLY EFFECTIVE TEENS"
(LOS 7 HÁBITOS DE ADOLESCENTES ALTAMENTE EFICACES)

Cuando estaba en el noveno grado, mi hermano mayor, Hans, que estaba en el penúltimo año de la secundaria, me parecía el símbolo de la popularidad. Era bueno en los deportes y salía en muchas citas. Nuestra casa siempre estaba llena de sus amigos, muchachos que yo soñaba que algún día me vieran como algo más que la "tonta hermanita de Hans".

Hans había invitado a Rebecca Knight, la chica más popular de la escuela, a la fiesta de fin de año, y ella había aceptado. El alquiló el esmoquin, compró las flores, y junto con el resto de su grupo de amigos populares contrataron una limosina e hicieron reservaciones en un restaurante elegante. Luego, la tragedia azotó. La tarde de la fiesta, Rebecca cayó con una terrible gripe. Hans no tenía pareja y era demasiado tarde para invitar a otra chica.

Había muchas maneras en las que Hans podía haber reaccionado, incluyendo el enojarse, sentir lástima de sí mismo, culpar a Rebecca, y aún creer que ella realmente no estaba enferma y que simplemente no quería ir con él, en cuyo caso él tendría que haber creído que era un perdedor. Pero Hans no solamente escogió permanecer positivo ante la situación, sino que también escogió darle a alguien la noche más inolvidable de su vida.

¡Me invitó a mí! ¡Su hermanita! Me invitó a que fuera con él a su fiesta de fin de año.

¿Pueden imaginarse mi emoción? Mamá y yo corríamos por toda la casa para arreglarme. Pero cuando llegó la limosina con todos sus amigos casi me acobardo. ¿Qué pensarían ellos? Pero Hans solamente sonrió, me dio el brazo y orgullosamente me escoltó hacia el automóvil como si yo fuera la reina del baile. No me advirtió que no actuara como niña, no se disculpó con sus amigos, y pasó por alto el hecho de que yo iba vestida en un sencillo vestido de falda corta que había usado en un recital de piano, mientras que todas las demás muchachas llevaban elegantísimos vestidos formales.

Yo estaba deslumbrada con la fiesta. Por supuesto, me derramé ponche en el vestido. Estoy segura de que Hans les pagó a todos sus amigos para que bailaran por lo menos una pieza conmigo, porque nunca estuve sentada. Algunos de ellos hasta simulaban pelear por bailar conmigo. Me divertí muchísimo, y también Hans. ¡Mientras los chicos bailaban conmigo, él bailaba con las parejas de ellos! La verdad es que todos se portaron maravillosos conmigo esa noche, y creo que gran parte de la razón fue que Hans escogió enorgullecerse de mí. Fue la noche de mis sueños, y creo que todas las muchachas de la secundaria se enamoraron de mi hermano, quien fue lo suficiente "equilibrado", lo suficiente amable, y lo suficiente seguro de sí mismo para invitar a su hermanita a su fiesta de fin de año.

El regalo de la abuela

WAYNE RICE

TOMADO DE "MORE HOT ILLUSTRATIONS FOR YOUTH TALK"
(MÁS EXCELENTES ILUSTRACIONES PARA CHARLAS JUVENILES)

Como alumno del noveno grado, David era el chico más pequeño de la escuela. Pero, con un metro y cincuenta centímetros de altura, y un poco menos de cincuenta kilos de peso, era el candidato perfecto para la clase de peso ligero de la selección de lucha libre de la escuela.

David empezó entre los novicios de peso ligero, fue ascendido al equipo titular cuando un muchacho en ese equipo se mudó a otra ciudad.

Desafortunadamente, el primer año de David en el equipo titular no fue precisamente de victorias. De los seis campeonatos en que luchó, lo vencieron seis veces.

David tenía el sueño de ser un luchador lo suficientemente bueno para ganarse su insignia de atleta. Una insignia de atleta es un monograma con las iniciales de la escuela que se les da a los atletas que demuestran rendimiento excepcional en el deporte que practican. Aquellos que son afortunados para recibir una insignia, la usan con orgullo en sus chaquetas de la escuela.

Cuando David compartía su sueño de ganar una insignia en lucha libre, la mayoría de sus compañeros del equipo y sus amigos se reían. Aquellos que lo apoyaban, usualmente decían:

"Bueno, no se trata de ganar o perder...", o, "Realmente no es importante si te dan la insignia o no..." Aun así, David estaba determinado a trabajar duro y seguir mejorando como luchador.

Todos los días después de las clases, el joven iba al cuarto de pesas a practicar, o corría por la pista del estadio para adquirir más resistencia, o estaba en el cuarto de ejercicios tratando de mejorar sus técnicas.

La única persona que continuamente creía en David, era su abuela. Cada vez que lo veía le recordaba lo que podía conseguir con oración y trabajo duro. Le decía que se mantuviera enfocado en su meta. Vez tras vez, le citaba versículos bíblicos como "Todo lo puedo en Cristo que me fortalece" (Filipenses 4:13).

El día antes que empezara la nueva temporada, la abuela de David falleció. El corazón del joven estaba destrozado. Si algún día realmente llegaba a alcanzar su meta de conseguir la insignia del colegio, su abuela no lo llegaría a saber.

Esa temporada, los oponentes de David se enfrentaron a una nueva persona. Lo que esperaban era una victoria fácil. Lo que obtuvieron fue una batalla feroz. David ganó nueve de sus primeros diez enfrentamientos ese año.

A la mitad de la temporada, el entrenador lo llamó a su oficina y le informó que estaba por recibir su insignia de la escuela. David estaba atónito. Lo único que lo habría hecho sentir mejor hubiera sido poder compartirlo con su abuela. ¡Si tan sólo ella supiera!

Justo entonces, el entrenador sonrió mientras le entregaba un sobre que tenía escrito su nombre con la letra de la abuela. El joven leyó la nota:

Querido David,

¡Sabía que lo lograrías! Aparté $100 para comprarte una chaqueta donde puedas poner tu insignia. Espero que

la uses con orgullo, y siempre recuerda: "¡Todo lo puedes en Cristo que te fortalece!"

Felicitaciones,
Abuela

Después que David terminó de leer la carta, el entrenador le entregó una chaqueta nueva con la insignia y el nombre de David bordado al frente. El joven se dio cuenta entonces, de que después de todo, su abuela sí sabía.

No todos los regalos de San Valentín vienen en sobres

ROBIN JONES GUNN

Cuando era adolescente, trabajaba de mesera en un restaurante en el sur de California. Aunque las noches de California se supone que son cálidas, aquella noche de febrero, el viento frío se filtraba por la puerta principal. Alrededor de las nueve de la noche casi no había clientes, y empecé a sentir lástima de mí misma. Verán, todos mis amigos habían ido al cine, pero yo tenía que trabajar hasta el cierre.

No le puse mucha atención al hombre que entró al restaurante. Un montón de hojas entraron con él. El silbido del viento se apagó cuando la puerta se cerró tras de sí. Me ocupé en preparar más café. De pronto, la anfitriona me tomó por el brazo. "Esto sí que es extraño", susurró, "pero hay un hombre con un bigote blanco sentado allá que dice que no va a comer aquí a menos que tú lo atiendas".

Tragué saliva. "¿Será un loco?"

"Velo por ti misma", respondió.

Cuidadosamente nos asomamos por el follaje decorativo para ver al misterioso hombre del rincón. Lentamente él bajó su menú, dejando ver cabello denso y blanco, ojos azules y una gran sonrisa debajo de su bigote. Levantó la mano y saludó.

"¡No es ningún loco!", le dije, "¡es mi padre!"

"¿Quieres decir que vino a verte al trabajo?", me preguntó la anfitriona, "para mí eso sí es extraño".

Yo no pensé que fuera extraño. Pensé que fue bueno. Pero no dejé que papá se diera cuenta. ¡Pobre papá! Yo actué tan desinteresada, diciéndole las sopas del día y escribiendo su orden antes que cualquiera pudiera verlo tomar mi brazo y decirme: "Gracias, cariño".

Pero quiero que sepan algo, nunca olvidé esa noche. El que él estuviera allí significó tanto para mí. Mientras que silenciosamente me veía limpiar mesas y llenar tazas de café, podía escuchar sus palabras silenciosas en mi mente diciendo: "Estoy aquí. Te apoyo. Estoy orgulloso de ti. Estás haciendo un buen trabajo. Sigue adelante. Tú eres mi pequeña. Te amo". Fue el mejor regalo de San Valentín que recibí ese año.

Palanca de velocidades

CLARK COTHERN

TOMADO DE "AT THE HEART OF EVERY GREAT FATHER"
(EN EL CORAZÓN DE TODO GRAN PADRE)

El día que conduje un camión Ford, blanco, modelo 1960 a la escuela, tenía la mirada puesta en una linda chica que tocaba la flauta y se sentaba en la primera fila de la banda. Jeanie tenía catorce años y decía que tenía "mucha experiencia" conduciendo automóviles de cambios. Se me ocurrió que una manera de impresionar a una chica de catorce años, sería permitirle conducir "mi" camión en el estacionamiento. Jeanie se encantó mucho con la posibilidad de conducir. A mí me animó que ella se hubiera entusiasmado. Qué mejor manera de iluminar una relación floreciente.

Solamente existían dos problemas con ese arreglo. Primero, "mi" camión realmente era de mi padre. Segundo, lo único que era mucho en cuanto a la experiencia de la chica con automóviles de cambios, era su imaginación. Su *experiencia* real con un vehículo de cambios, resultó que se extendía a uno que otro intento en el Volkswagen escarabajo de algún amigo.

Después de mi escasa explicación de lo que cada pedal hacía, ella siguió mis instrucciones y presionó el embrague, extendiendo su pequeña pierna izquierda tan lejos como podía hacerla llegar. Con un pie, sostuvo el pedal abajo. Con el otro pie, con cuidado presionó el acelerador.

Cuando hizo girar la llave en la ignición, el motor arrancó. Como le había explicado, ella debía comenzar a levantar el pie izquierdo del embrague al tiempo que con el pie derecho empujaba el acelerador.

Ese era el plan, cuando las cosas comenzaron a suceder.

Se enredó en cuanto a qué debía hacer con los pies, y no supo controlar el embrague; trató de pisarlo de nuevo hasta el fondo, pero se olvidó de quitar el pie del acelerador, el cual estaba hasta el piso del vehículo.

Sentado en el medio del asiento, vi pasar partes de un edificio en el espejo retrovisor. Me sentí como un vaquero montado en un caballo salvaje, moviéndome hacia delante y atrás en forma descontrolada.

Tratando de mantener la calma, grité: "¡Está bien!" Pero en realidad parecía agitarme tanto como la ropa que gira en el ciclo de escurrido de una lavadora automática.

"Pisa el embrague y suelta el acelerador", le grité sobre el ruido del motor que aceleraba y casi se apagaba en ciclos.

"¿Cuál es el embrague?", me gritó la pregunta sobre el ruido del motor.

Creo que mi lección no había dado resultado. "El pedal de la izquierda", le dije.

"¿Qué? ¿Cuál es el freno?"

En realidad no teníamos tiempo para esta conversación, ya que se nos estaba acabando el estacionamiento. Cuando pensé que tal vez debía agarrar la palanca de cambios y poner el vehículo en neutral, vi que la cerca de alambre estaba peligrosamente cerca de nosotros a la izquierda.

La cerca no era lo que más me preocupaba, sino el estacionamiento de los profesores lleno de vehículos al otro lado de la cerca.

Y antes que tuviera tiempo de tomar la dirección o la palanca de cambios, oí el ruido de metal contra metal. Los bonitos y derechitos postes de aluminio comenzaron a torcerse mientras el camión, convertido ahora en aplanadora, arrasaba con un sector de la cerca.

Finalmente, por falta de aceleración, el camión se detuvo, y el silencio inundó la cabina. Noté que las piernas de mi amiga estaban todavía apoyadas en los pedales mientras que tenía los nudillos blancos de tanto apretar el volante.

"Bueno", dije respirando por primera vez después de varios segundos, "no estuvo tan mal para ser la primera vez".

Ella pasó sobre mis rodillas al lado del asiento del pasajero, mientras yo inspeccionaba los daños ocurridos. No podía creer lo que veían mis ojos. El parachoques del viejo camión había quedado a unos veinticinco centímetros del flamante automóvil del director de la secundaria.

Mi corazón se inundó de agradecimiento en esos momentos, y decidí enfrentar lo que había ocurrido. Di marcha atrás y estacioné el camión en un lugar apropiado, le agradecí a mi amiga por el tiempo agradable que había pasado, y marché a la oficina del director.

La secundaria Maryvale High era bastante grande, ya que todavía estaban construyendo otra secundaria a donde asistirían parte de nuestros alumnos. Así que con cinco mil alumnos en la secundaria, David Goodson, nuestro director, solamente atendía asuntos de mucha importancia; tales como protestas y control de armas. El subdirector, a quien llamábamos entre nosotros "Inmisericordioso Miller", fue quien escuchaba historias como la mía.

Me hice responsable completamente por el incidente de manejar el camión sobre la cerca, sintiéndome un poco inquieto por su sonrisa mientras me escuchaba.

Me dio una tarjeta y me dijo: "Llama a este teléfono, y habla con ellos. Instalaron la cerca ayer".

Sentí que se me aflojaban las piernas. Si esa cerca no hubiera estado allí, habríamos destrozado el flamante automóvil del director.

El señor Miller continuó: "Explícale al dueño de la compañía lo que sucedió y pregúntale si puedes pagarle los daños tú mismo. Dado que esto sucedió en propiedad privada, no tendremos que llamar a la policía".

Suspiré. En ese momento sentí ganas de darle un abrazo. Él no me había dado lo que yo hubiera merecido, sino que me ayudó a aprender una lección y a hacerme responsable por mis acciones. El señor Miller permaneció en calma absoluta durante toda la conversación.

Llamé al número de la tarjeta y un señor muy amable contestó: "Sí, ya me enteré del incidente. Me sorprende que seas tú quien me haya llamado. Uno de mis trabajadores me llamó y me dijo que pudo enderezar tres de los postes, pero que el cuarto, hay que reemplazarlo. A ver, ¿por qué no vienes a mi oficina, y me pagas, digamos, diez dólares por el poste?"

Todo el camino a su oficina yo iba diciendo: "Gracias, Dios, gracias, gracias, gracias. Gracias, Dios".

Con ese asunto arreglado, ahora tenía que enfrentar la parte más difícil que era decírselo a mi papá.

Estacioné el camión lo más adelante que pude en la cochera, de modo que el guardabarro izquierdo no se viera desde la casa. Cuando papá llegó del trabajo, lo fui a ver cuando se bajaba de su automóvil.

"Hola, papá, ¿cómo te fue en el trabajo?", le dije tratando de parecer simplemente interesado en él.

"Bien, hijo, ¿qué pasa?" Tal vez por mis movimientos y por mi voz, él se había dado cuenta de que algo no estaba bien.

"Papá, nunca adivinarías lo que sucedió hoy en la secundaria. Algo gracioso", le dije y me reí con nerviosismo, tratando tal vez de que él se riera conmigo.

Usando las expresiones más animadas y humorísticas que encontré, le conté el incidente detalle por detalle, incluso lo ocurrido con el subdirector y la sonrisa que aquel había tenido en su rostro. "Una sonrisa parecida a la tuya en estos momentos, papá", le dije y me reí.

Él suspiró, se río entre dientes, me puso la mano en el hombro y me dijo: "Vamos a ver el camión".

Traté de tragar saliva mientras caminábamos hacia el camión para ver los daños. No eran tan grandes considerando lo que había sucedido ese día. Esos viejos camiones eran muy resistentes. Papá miró el camión, suspiró una vez más y me dijo: "¿Sabes lo que me pasó a mí y a uno de mis hermanos cuando yo tenía más o menos tu edad?"

De pronto pude tragar saliva. Yo había escuchado sus sermones antes, y pensé que el sermón sería mejor que cualquier otro castigo que mi padre me pudiera imponer. Así que me mostré interesado.

Él me dijo: "Tu tío y yo encontramos un viejo camión que era de mi padre, tu abuelo. Y decidimos darle una sorpresa llevándolo cuesta abajo hasta el granero, y allí arreglarlo". (Esto parecía mucho más interesante que los sermones que me había dado antes.)

"Bueno, no fue sino hasta que el camión iba rodando cuesta abajo que hicimos un descubrimiento muy importante: no tenía frenos. En aquella ocasión, no había una cerca de alambre para detenerlo, lo que había era una cerca de madera, hecha de listones de 10 cm. por 10 cm."

Me quedé boquiabierto mientras papá me continuaba contado esa historia de cuando él había sido joven. Ya casi no sentía temor mientras escuchaba a papá.

"Creo que si lijas este guardabarro con una lija gruesa primero y después con una fina, podríamos encontrar el mismo color de pintura y pintarlo. Es un camión viejo, hijo".

Ese día aprendí mucho sobre la benignidad. En tres diferentes oportunidades, nadie, que podría haber tenido razón para hacerlo, me había gritado.

Primero fue el subdirector, luego el dueño de la compañía de cercas y ahora mi papá. Casi no podía creer lo que estaba ocurriendo. Seguí el consejo de papá y muy pronto el camión quedó casi como nuevo.

Aquel día aprendí mucho. Primero, en cuanto a decirle la verdad al subdirector de la secundaria; luego, cuando pagué por los daños ocasionados, y después, ayudando a reparar el camión, al tiempo que en el proceso asimilé una lección aun más grande.

Aprendí en cuanto a enseñarles a los hijos la lección que deben aprender cuando cometen un error. El mensaje de mi padre se ahondó profundamente en mi corazón porque él combinó la fuerza con la benignidad. La benignidad fue lo que ablandó la corteza alrededor de mi corazón y permitió que la bondad lo traspasara.

La mejor manera de mantener a los hijos en la casa,
es hacer que el ambiente sea agradable ... y quitar
el aire de los neumáticos de sus automóviles.

–Autor desconocido

Cartas de amor para mi bebé por nacer

JUDITH HAYES
TOMADO DE LA REVISTA "FOCUS ON THE FAMILY"
(ENFOQUE A LA FAMILIA)

Era un caluroso día de verano a finales de julio. Me había estado sintiendo un poco mal y con náuseas, así que decidí ver a mi médico.

"Señora Hayes, me alegra informarle que tiene diez semanas de embarazo", anunció el doctor. No podía creer lo que oía. Era un sueño hecho realidad.

Mi esposo y yo éramos jóvenes y teníamos apenas un año de casados. Estábamos trabajando duro para construir juntos una vida feliz. La noticia de que esperábamos un bebé nos emocionaba y nos asustaba al mismo tiempo.

En mi entusiasmo juvenil decidí escribirle "cartas de amor" a nuestro bebé, para expresarle mis sentimientos de expectación y gozo. Nunca supe cuán valiosas serían esas cartas de amor con el correr de los años.

Agosto 1971: Mi querido bebé... ¿Puedes sentir el amor que siento por ti aún cuando estás tan pequeñito viviendo en el mundo silencioso dentro de mi cuerpo? Tu papá y yo queremos para ti un mundo perfecto, donde no haya odio, guerras, ni contaminación. ¡Apenas puedo esperar los seis meses que faltan para tenerte en mis brazos! Te amo, y papi te ama también, aunque todavía no te puede sentir.

Septiembre 1971: Tengo cuatro meses de embarazo y me siento mejor. Puedo sentir cómo estás creciendo y espero que estés bien y cómodo. He estado tomando vitaminas y comiendo comida saludable para ti. Gracias a Dios que mis náuseas matutinas ya desaparecieron. Pienso en ti todo el tiempo.

Octubre 1971: ¡Ah, estos ánimos melancólicos! Lloro muy seguido y sin razón alguna. Algunas veces me siento tan sola, pero luego recuerdo que estás creciendo dentro de mí. Te siento moverte,voltearte y empujar. Nunca es igual. ¡Tus movimientos siempre me dan tanta alegría!

Noviembre 1971: Me siento mucho mejor ahora que ya no tengo náuseas ni fatiga. El intenso calor del verano ha terminado. El clima está agradable y hay una fresca brisa en el ambiente. Siento tus movimientos ahora con más frecuencia. Constantemente estás moviéndote y pateando. ¡Qué alegría saber que estás vivo y bien! La semana pasada papi y yo escuchamos el latido fuerte de tu corazón en la clínica del doctor.

Febrero 2, 1972 a las 11:06 p.m.: ¡Naciste! Te llamamos Sasha. Fue un trabajo de parto largo y difícil, veintidós horas, y tu papá me ayudó a mantenerme relajada y calmada. Estamos tan felices de verte, de cargarte y de tenerte con nosotros. Bienvenida, nuestra primera hija. ¡Te amamos tanto!

El tiempo pasó rápido y Sasha cumplió un año, y andaba gateando por toda la casa. Luego estaba paseando en caballitos y columpiándose en el parque. Nuestra pequeña belleza de ojos azules, entró al jardín de infantes y creció para convertirse en una niñita brillante y de temperamento fuerte. Los años pasaron tan rápido que mi esposo y yo bromeábamos diciendo que habíamos puesto a dormir a nuestra pequeñita de cinco años una noche y a la mañana siguiente, despertó siendo una adolescente.

Esos pocos años de adolescencia y rebelión no fueron nada fáciles. Había veces en que mi bella y enojada adolescente se rebelaba y me gritaba: "¡Te odio! ¡Tú nunca me has amado! ¡Yo no te importo, y tampoco quieres que sea feliz!"

Sus ásperas palabras atravesaban mi corazón. ¿Qué pude haber hecho mal?

Después de una de las explosiones de ira de mi hija, recordé la pequeña caja de cartas de amor que tenía guardada en el armario de mi dormitorio. Las encontré y silenciosamente las puse sobre su cama, esperando que las leyera.

Unos días más tarde, apareció ante mí con lágrimas en los ojos. "Mamá, nunca me imaginé cuánto realmente me amaste, ¡aún antes que yo naciera!", dijo. "¿Cómo pudiste amarme sin conocerme? ¡Me amaste incondicionalmente!" Ese precioso momento se convirtió en un lazo de unión que todavía existe entre nosotras. Aquellas cartas de amor viejas y empolvadas derritieron la ira y la rebelión que ella había estado sintiendo.

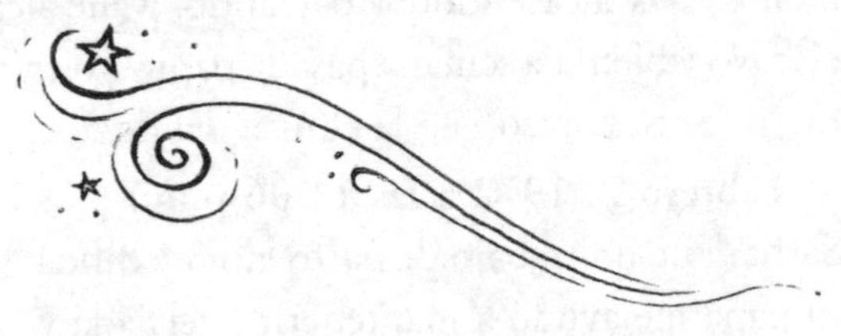

Una nota de mamá

Sé que estás molesto conmigo, Pero no olvides ni
por un segundo que te amo. No importa lo que hagas,
digas o pienses, siempre podrás depender de mi apoyo y amor.
Te amo,
mamá

– *Tomado de* P.S. I Love You
(de P.D. Te amo)

El amor siempre gana

PATSY G. LOVELL

CONDENSADO DE LA REVISTA "FOCUS ON THE FAMILY"
(ENFOQUE A LA FAMILIA)

Cuando nuestra hija Kathleen tenía trece años, era una adolescente vivaz. Un día, con muchísima emoción me pidió permiso para comprarse una falda corta de cuero, una como la que todas las demás chicas en su clase usaban.

Me di cuenta de que esperaba una respuesta negativa. Sin embargo, actuó con sorpresa cuando le dije que no, luego se puso a explicarme en gran detalle cómo sería ella la única en la clase sin una falda de cuero. Nuevamente dije que no, y le expliqué mis razones.

"Bueno, ¡yo pienso que estás equivocada!", respondió.

"Equivocada o no, ya tomé una decisión. La respuesta es no".

Kathleen se fue dando taconazos, pero rápidamente volvió. "Sólo quiero explicarte por qué esto es tan importante para mí. Si yo no tengo esa falda, seré rechazada y ninguna de mis amigas me va a querer".

"La respuesta es no", repetí suavemente.

Se infló como un globo y me lanzó su última carta. "Yo pensé que me amabas", dijo dramáticamente.

"Te amo, pero la respuesta sigue siendo no". Con eso, ella hizo un ruido de esos que sólo puede hacer un adolescente enfurecido que trata de salirse con la suya. Subió corriendo las escaleras y cerró la puerta de su dormitorio con un portazo.

Aunque había ganado la batalla, sentía como que hubiera perdido la guerra. Luego, algo inexplicable sucedió, una voz interna me dijo: *¡Manténte firme!*

El ruido de su enojo empezó una vez más, y Kathleen apareció en las escaleras. Esta vez, respiraba fuego.

"¡Pensé que nos habías enseñado que tenemos derechos!", gritó.

"Tienes derechos. La respuesta sigue siendo no".

Se volvió a ir, indignada, pero la corté. "Kathleen, he tomado una decisión. No voy a cambiar de parecer y si dices otra palabra al respecto, te voy a castigar severamente. ¡Ahora vete a la cama!"

Todavía tenía algunas palabras guardadas, pero se las tragó y desapareció.

Me senté en el sofá, temblando y molesta. Ya que mi esposo trabajaría hasta tarde, yo era el único padre "de turno". Ninguno de nuestros hijos me había presionado tanto. Justo cuando pensé que nuestros problemas habían terminado, escuché nuevamente el ruido de su enojo. Kathleen bajó las escaleras.

"Bueno", anunció, "sólo voy a decirte una vez más..." La encontré en la última grada, me puse las manos en las caderas y la miré a los ojos. "No hables", le dije. "No digas nada. ¡Date vuelta y vete a la cama sin decir una palabra!"

Durante varios minutos fijé mi mirada en el vacío y me preguntaba cómo estaba mi presión sanguínea. Luego escuché la puerta de su dormitorio abrirse. Kathleen, con los ojos y la nariz rojos de tanto llorar, bajó las escaleras en ropa de dormir y rizadores. Extendió sus brazos hacia mí.

"Oh, mamá, lo siento".

Nos abrazamos mientras dijo entre lágrimas: "¡Tenía tanto miedo!"

"¿Miedo de qué?", le pregunté.

"¡Tenía miedo de que me dejaras ganar!", me dijo.

¿Tenías miedo de que te dejara ganar? Me confundí por un momento. ¡Luego me di cuenta de que mi hija *quería* que yo ganara!

Hice lo correcto. Las palabras sencillas de Kathleen me lo aseguraron. Me mantuve firme y ahora la tenía a ella cerca de mí.

Un padre, un hijo y una respuesta

Bob Greene

Tomado del Chicago Tribune
(Periódico de chicago)

Pasando por el aeropuerto de Atlanta una mañana, tomé uno de esos trenes que llevan a los pasajeros desde la terminal principal hasta sus puertas de abordaje. Libres, estériles e impersonales, los trenes van y vienen todo el día. Casi nadie los considera divertidos, pero aquel sábado, yo escuché risas.

Al frente del primer vagón, mirando por la ventana hacia afuera, había un hombre con su hijo. Nos habíamos detenido para que se bajaran algunos pasajeros y las puertas se cerraban nuevamente. "¡Aquí vamos! Agárrate fuerte de mí", dijo el padre. El chico, como de cinco años hacía sonidos de puro deleite.

La mayoría de la gente en el tren iban vestidos para viajes de negocios o vacaciones, el padre y el hijo iban vestidos con ropa tan económica como puede comprarse.

"¡Mira allá afuera!", le dijo el padre a su hijo. "¿Ves ese piloto? Te apuesto que va hacia su avión". El hijo extendió su cuello para ver mejor.

Mientras me bajaba, recordé algo que quería comprar en la terminal. Todavía tenía tiempo para mi vuelo, así que decidí volver. Hice mi compra, y justo cuando estaba por volver a abordar el tren para ir hacia mi puerta de abordaje, vi que el hombre y su hijo había vuelto también. Entonces me di cuenta de que no iban hacia ningún vuelo, sino simplemente habían estado paseando en el tren.

"¿Quieres irte a casa ahora?", le preguntó el padre.

"¡Quiero pasear más!"

"¿Más?", dijo el padre, fingiendo desesperación, pero evidentemente complacido. "¿No estás cansado?"

"¡Esto es divertido!", dijo su hijo.

"Muy bien", respondió el padre y cuando se abrió la puerta, todos abordamos.

Hay padres que pueden pagarles a sus hijos viajes a Europa o Disneylandia, y los niños resultan ser malos hijos. Hay padres que viven en casas que valen millones de dólares y les dan a sus hijos automóviles y piscinas; sin embargo, algo sale mal. Ricos y pobres, blancos y negros, tantas cosas salen siempre mal.

"¿Adónde va toda esta gente, papi?" preguntó el hijo.

"Por todo el mundo", fue la respuesta. La otra gente en el aeropuerto se iba a destinos lejanos o llegaban al final de sus viajes. Ese padre y su hijo, sin embargo, simplemente viajaban juntos en el tren, haciéndolo emocionante y compartiendo su mutua compañía.

Hay tantos problemas en este país, hay tantas preguntas respecto a qué hacer.

La respuesta es tan sencilla: Se precisan padres que se preocupan lo suficiente como para pasar tiempo con sus hijos, ponerles atención y hacer lo mejor que puedan. No cuesta un centavo y sigue siendo lo más valioso del mundo.

El tren tomó velocidad, el padre le señaló algo más al niño y el niño volvió a reír. ¡La respuesta es tan sencilla!

Vuelve a casa

Max Lucado

Tomado del libro "No Wonder They Call Him The Savior"
(Con razón lo llaman el salvador)

La pequeña casa era sencilla pero adecuada. Consistía de un cuarto grande en una calle polvorienta. Su techo de tejas rojas era uno de varios en ese vecindario pobre en las afueras de aquel pueblecito en el Brasil. Era un hogar cómodo. María y su hija Cristina, habían hecho lo que podían por agregarle color a las paredes grises, y calor al duro piso de tierra: un viejo calendario, una fotografía desteñida de un familiar, un crucifijo de madera. El mobiliaro era modesto: dos catres, un lavadero y una estufa de leña.

El esposo de María había muerto cuando Cristina era apenas una bebé. La joven madre rechazó insistentes oportunidades de volverse a casar, consiguió trabajo y se determinó a criar a su pequeña hija. Ahora, quince años más tarde; los años más difíciles habían pasado. Aunque el salario de María como empleada doméstica les permitía muy pocos lujos, era suficiente para proveerles comida y vestido. Ahora Cristina era bastante mayor como para conseguir empleo y ayudar.

Algunos decían que Cristina había heredado la independencia de su madre. No estaba de acuerdo con la idea tradicional de casarse joven y criar una familia. No era que le faltaran candidatos. Su tez olivácea y sus ojos café, mantenían constantemente a los pretendientes ante su puerta. Tenía una manera contagiosa de lanzar su cabeza hacia atrás y llenar la habitación de risa. También tenía la extraña cualidad que tienen algunas mujeres que hace que cualquier hombre se sienta un rey sólo por estar cerca de ellas. Pero fue su espíritu de curiosidad la que mantenia a distancia a todos los hombres.

Hablaba con frecuencia de ir a la ciudad. Soñaba con cambiar su viejo vecindario por emocionantes avenidas y la vida de la ciudad. El simple pensamiento aterrorizaba a su madre. María siempre se apresuraba a recordarle a Cristina los peligros de las calles. "La gente allí no te conoce. Los trabajos son escasos y la vida es cruel. Además, si fueras allí, ¿qué trabajo harías?"

María sabía exactamente lo que Cristina haría o tendría que hacer para vivir. Por eso, su corazón se despedazó cuando se levantó una mañana y encontró la cama de su hija vacía. María supo inmediatamente adónde había ido su hija. También supo de inmediato lo que tenía que hacer para encontrarla. Rápidamente metió un poco de ropa en una bolsa, juntó todo su dinero y salió de la casa.

Camino a la estación del autobús, entró a una farmacia para conseguir una última cosa. Fotografías. Se sentó en la cabina de fotografías, cerró la cortina y gastó todo lo que pudo en fotos de ella misma. Con su bolso lleno de pequeñas fotos blanco y negro, abordó el siguiente autobús hacia Río de Janeiro.

María sabía que Cristina no tenía forma de ganarse la vida. También sabía que su hija era demasiado obstinada como para darse por vencida. Cuando el orgullo se encuentra con el hambre, un humano es capaz de hacer cosas que antes eran inconcebibles. Sabiendo esto, María empezó su búsqueda. Bares, hoteles, clubes nocturnos, cualquier lugar con la reputación de recibir gente de mal vivir o prostitutas. Ella fue a todos ellos. Y en cada lugar que fue, dejó su fotografía, pegada en el espejo de un baño, en el anunciador de los hoteles, en las cabinas telefónicas. Detrás de cada una de las fotografías escribió una nota.

No pasó mucho tiempo antes que tanto el dinero como las fotografías se le terminaran y María tuvo que volver a su casa. La madre, cansada, lloró mientras que el autobús empezaba su larga jornada de vuelta a su pueblecito.

Unas semanas más tarde, la joven Cristina bajó las escaleras del hotel donde se hospedaba. Su joven rostro estaba cansado. Sus ojos color café ya no bailaban llenos de juventud, sino hablaban de dolor y temor. Su risa había desaparecido. Su sueño se había convertido en una pesadilla. Miles de veces añoró cambiar las incontables camas por la seguridad de su cuartito. Hoy, el pueblecito estaba demasiado lejos de ella.

Al llegar al pie de las escaleras, sus ojos notaron un rostro familiar. Miró nuevamente, y allí, en el espejo de la planta baja había una pequeña fotografía de su madre. Los ojos de Cristina se llenaron de lágrimas y la garganta se le cerró mientras caminaba a través de la habitación y tomaba la fotografía. En el reverso había una invitación apremiante. "No me importa lo que hayas hecho, o en qué te hayas convertido. Por favor vuelve a casa".

Y ella volvió.

Un tipo diferente de lágrimas

Sundi Arrants
18 años

Era mi primer año en la secundaria y todo iba muy bien en mi vida. Estaba en una escuela grande y mi mayor preocupación era perderme camino a mi próxima clase.

Luego, un día, todo cambió.

La vida perfecta de mi familia fue destruida. Mi padre se levantó en la mitad de la noche con un fuerte dolor en su costado. Lo llevamos rápidamente al hospital y los exámenes revelaron que tenía cáncer. Los médicos nos dijeron que papá estaría en el hospital por un largo tiempo. Le empezaron un tratamiento de quimioterapia que lo hacía sentir peor.

El hospital quedaba lejos de casa y como yo estaba en la escuela, sólo podía verlo los fines de semana. Cada día le hacía una tarjeta que mamá le entregaba. Lo extrañaba terriblemente y dormía con su fotografía debajo de mi almohada. Algunas veces, cuando no podía dormir, sostenía la fotografía cerca de mi corazón y lloraba.

Finalmente, le permitieron a papá venir a casa, pero todavía tenía que volver dos veces por semana para hacerse los tratamientos de quimioterapia. Estaba muy pálido y cada día parecía empeorar. La quimioterapia hizo que poco a poco perdiera el cabello.

Nunca olvidaré el día que vine a casa de la escuela y papá tenía puesta una gorra de béisbol. Se la quitó y me preguntó qué pensaba de su nueva apariencia. El cabello se le había caído tanto que decidió afeitarse la cabeza al rape.

No quería herir sus sentimientos, así que le dije que me encantaba y que se veía muy bien. Pero en mi corazón, difícilmente podía soportar verlo así.

Hubo otro día que nunca olvidaré. Unas semanas más tarde, mis padres hablaron conmigo y me dijeron llenos de tristeza y solemnidad que papá probablemente no viviría mucho tiempo más. No puedo describir ese horrible momento. Fue como si una bestia salvaje me hubiera ensartado sus garras en el corazón. Me di cuenta de que papá no estaría allí para ver mi graduación de la secundaria. Tampoco estaría allí para entregarme en el altar el día de mi matrimonio. Nunca sostendría a mis hijos en sus brazos.

Yo estaba devastada y parecía como si algo se hubiera muerto dentro de mí. Pensaba: *¿Cómo puedo seguir con mi vida cuando mi papá está perdiendo la de él?*

Mi hermano mayor, que era adolescente, hizo todo lo que pudo por llevar la carga de "papá" en nuestro hogar. Mi hermano menor era demasiado joven para endender lo que estaba sucediendo. Pero mi madre, que es la mejor amiga que tengo en el mundo, hizo todo lo que pudo para animarnos respecto a papá. Aunque su propio corazón estaba destrozado, nunca dejó de esperar un milagro. Sin importar cuánto dolor sentía, siempre nos animaba. Cómo lo hizo, no lo sé. Creo que sólo una madre conoce ese secreto.

Después de muchos meses, algo maravilloso sucedió. Nuestras oraciones recibieron una respuesta, y papá estaba mejorando. Le empezó a crecer el cabello otra vez. El color le volvió al rostro, y de nuevo estaba sonriendo. El futuro parecía mejor para nosotros. Vimos cómo Dios tomó nuestras vidas y corazones despedazados y los sanó completamente.

Recientemente me gradué de la secundaria. Mientras estaba parada frente a mis compañeros y sus familias para dar mi discurso, miré a la audiencia y vi a mi padre sentado al lado de mi madre. Había lágrimas en sus ojos y recordé el día que me dijo que quizá no viviría para ver mi graduación. Estas lágrimas eran diferentes, eran lágrimas de felicidad y amor. El mismo tipo de lágrimas que va a derramar el día que me entregue en el altar, el día de mi matrimonio.

Sólo porque sí

ADRIA DOBKIN
DISCURSO DE GRADUACIÓN
ESCUELA SECUNDARIA MOUNTAIN VIEW

Mi madre empezó a tocar el violoncelo cuando tenía cuarenta y seis años. Siempre había querido aprender, y finalmente, como madre de dos adolescentes decidió tomar lecciones.

La oía rascar las cuerdas para sacar "Estrellita", y lentamente progresaba, hacia piezas más difíciles. Yo no era su admiradora más grande.

Cuando me contaba sus frustraciones y me decía que quería abandonar sus estudios, yo no la apoyaba mucho, no le decía nada.

A mí me parecía una pérdida de tiempo. Tocar el violoncelo no era algo que mi madre pudiera poner en sus solicitudes de empleo. Tampoco iba a tocar en la Orquesta Sinfónica de Londres. Yo no le veía justificación.

Pero la justificación de mi madre no era complacer a entrevistadores o sorprender a sus amistades. Ella lo hacía sólo porque sí.

Es esta búsqueda de automejoramiento interno lo que te conduce a un cierto logro. Saber que has hecho algo especial por ninguna razón en particular, sino, sólo "porque sí".

"Es una carta de su hijo que está en la universidad…
y no le pide dinero…"

La bendición de un padre

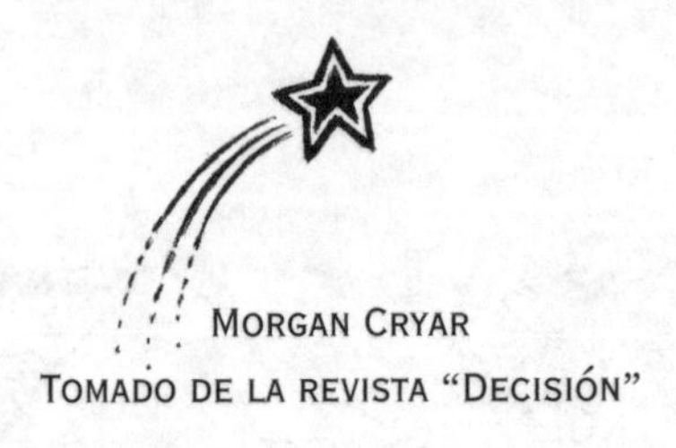

Morgan Cryar
Tomado de la revista "Decisión"

Muchas mañanas, cuando era niño, caminaba a tropezones por la oscuridad en dirección al camión de la familia, me volvía a dormir y luego me despertaba el sonido del vehículo deteniéndose en los bosques de Louisiana. Puedo recordar, aún cuando era demasiado pequeño como para vestirme solo, cuando me subía a ese camión junto a mi padre, la persona más importante de mi vida en ese tiempo, y caminaba en la penumbra del amanecer para cazar ardillas o venados.

Una mañana, hace diez años, íbamos hacia el bosque, de cacería con mi padre. Pero esta vez, yo ya era adulto, con una familia propia. Había estado de gira por varios meses y me había prometido viajar de nuestro hogar en Nashville, Tennessee, a los pantanos en las afueras de Lake Charles, Louisiana, donde crecí. Aunque no lo sabía, ésta no sería una mañana como las demás. Fue la mañana en que descubrí que mi padre aprobaba mi carrera. Esa mañana, él me dio su bendición.

Cuando nos subimos al viejo camión y papá encendió el motor, empezó a sonar la música de la casetera. Yo conocía muy bien esa música y me sorprendió escucharla en el camión de papá. ¡Era mi última grabación rompiendo estrepitosamente la silenciosa quietud de la mañana! No lo pude evitar, y le dije: "No sabía que tuvieras esta música. ¿Tú escuchas esta música?"

Su respuesta me sorprendió: "Es lo único que escucho". Miré alrededor, y definitivamente, era el único casete en su camión. ¡Yo estaba casi aturdido! Él dijo: "Esta es mi favorita", refiriéndose a la canción que sonaba en ese momento. Asimilé sus palabras mientras bajó un poco el volumen y dejó entrar la quietud de la mañana.

Conducimos en silencio hacia el sitio de la cacería y yo me preguntaba qué había pasado en este momento. Parece ahora como algo tan insignificante, unas pocas palabras aquella mañana, pero parecía haber algo distinto en el aire. Yo me senté erguido en mi asiento. Vi a mi padre con el rabillo del ojo y recordé dos momentos cruciales de nuestra relación.

Uno de ellos sucedió mientras yo estaba en la universidad. Recordé haberme dado cuenta de que no había escuchado a mi padre decir que me amaba. Yo sabía que me amaba, pero no podía recordar haberlo escuchado decirlo. Eso era algo que mi padre simplemente no hacía. Por alguna razón era muy importante para mí escuchar esas palabras de sus labios. Yo sabía, sin embargo, que él nunca tomaría la iniciativa. Así que aquel verano, mientras volvía a casa de la universidad, me determiné a "ayudarlo" al decirle primero que lo amaba. Luego, él tendría que decirlo de vuelta. Sería muy sencillo. Sólo tres palabritas. Yo anticipaba una nueva dimensión en nuestra relación cuando llegara a casa y dijera: "Te amo, papá", y luego él respondería.

Pero lo sencillo no siempre es fácil. Pasó el primer día y pensé: "¡Tengo que decírselo mañana!" Pasó el siguiente día, y el siguiente y el siguiente. Pasaron doce semanas y era el último día de mi receso de verano. Me sentía frustrado por no haberle dicho a mi padre esas tres palabritas.

Mi dilapidado automóvil estaba estacionado en la entrada de la casa. Me prometí a mí mismo que no encendería el motor hasta haber cumplido mi cometido. Para alguien con una relación emocionalmente estrecha con su padre, esto podría parecer un poco tonto, pero para mí, era algo muy serio. Tenía las palmas de las manos húmedas y la garganta seca. Se me debilitaron las rodillas cuando llegó la hora de irme.

Había sido una buena visita de verano. Había un sentimiento de tristeza en la casa porque yo iba de vuelta a la universidad, al otro lado del estado. Finalmente, no pude esperar más. Abracé a mamá, a mi hermano y a mi hermana, para despedirme, y fui a buscar a papá.

Caminé hacia él, lo miré a los ojos y dije: "Te amo, papá".

Sonrió ligeramente, me abrazó y dijo lo que yo necesitaba escuchar: "Yo también te amo, hijo". Parecía como si hubiera mil voltios de electricidad en el aire mientras nos abrazamos (otra cosa que no había pasado desde que yo era niño). ¡Fue algo tan pequeño, pero lo cambió todo!

Desde ese momento en adelante, todas nuestras conversaciones terminaban con: "Te amo, papá". "Yo también te amo, hijo". Se nos volvió costumbre el abrazarnos al saludarnos y despedirnos. Tan sencillo como suena, se volvió un nuevo gesto de cariño entre mi padre y yo. Ese recuerdo me vino a la mente en el camión esa mañana mientras íbamos al bosque.

El otro momento crucial de nuestra relación sucedió después que salí de la universidad. Recordé que había asistido a un seminario sobre sanar relaciones con las personas a quienes había herido. Esto era totalmente nuevo para mí, admitir mi culpa y recibir perdón de aquellos a quienes había ofendido.

Parte del proceso era pedirle a Dios que me mostrara a todas aquellas personas con quienes necesitaba aclarar algunas cosas. Seguramente, el primero en la lista fue papá.

Así que me senté con él y empecé primero con las peores cosas que había hecho. Luego seguí con las ofensas de menor seriedad. Confesé todo lo que yo sabía que lo había lastimado, aún desde mi niñez. Luego, simplemente le pregunté: "¿Me perdonas, papá?"

Tal como yo lo esperaba, papá estaba apenado y trató de evadirlo: "Eh, está bien, hijo".

Yo insistí: "Significaría mucho para mí que me perdonaras".

Volvió a mirarme y me dijo: "Ya todo ha sido perdonado".

Esa era su forma de decirme que no tenía resentimientos. Una vez más, todo cambió. Desde ese momento, papá me trató con un nuevo respeto. Yo no lo había anticipado, pero también empezó a tratarme como un adulto, como un amigo.

En la quietud de la mañana, camino al bosque, estas cosas flotaban en mi memoria y descansé en la aprobación de mi padre hacia mi llamado, mi trabajo, mi música.

No tenía forma de saber cuán preciosa sería su bendición para mí. Apenas una semana después, luego que mi familia y yo habíamos regresado a Nashville, recibí una llamada de mi hermano, Tommy, diciéndome que papá había salido al pórtico y había muerto de un ataque al corazón. Había sido joven y saludable, y sólo tenía cuarenta y nueve años. Fue el día más doloroso de mi vida.

Aunque mi familia y yo sufrimos mucho, aún tenía mucho por qué estar agradecido. Disfruté treinta años con mi padre, algunos de ellos como su amigo. Su ejemplo me había inspirado tanto que yo estaba seguro de poder enfrentar el reto de criar a mis propios hijos, incluyendo a mi hijo, que nació el Día del Padre, seis años más tarde.

Esa madrugada, camino al bosque, mi padre me dio algo de gran valor que yo puedo legar a mis hijos, la bendición de un padre.

inspiración

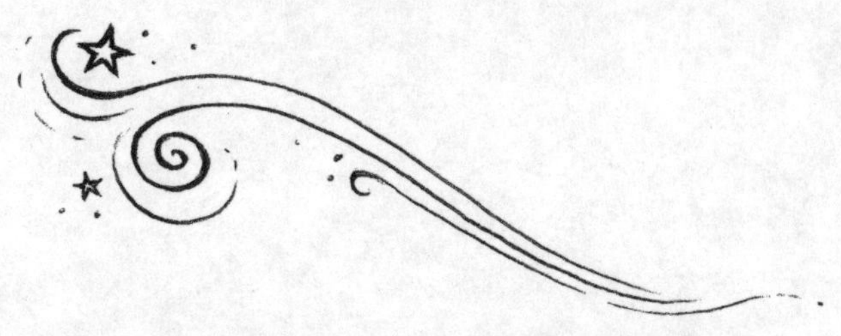

Cosas que he aprendido últimamente...

Los libros son como amigos que comparten
un poco de sí mismos contigo, el cambio es inevitable,
las galletas con chispas de chocolate, saben
mejor cuando todavía son masa,
y, nunca debes esperar para decirle a alguien
por qué lo amas.

Triunfo sobre la tragedia

VALEEN SCHNURR
18 AÑOS
SEGÚN RELATADO A JANNA L. GRABER

El día de mi graduación de la secundaria, fue una sofocante tarde de sábado en mayo. Sentada con cuatrocientos de mis compañeros en un teatro al aire libre, estaba acalorada con mi toga y birrete.

Había esperado ese día durante varios meses. Los últimos cuatro años en la Escuela Secundaria Columbine, en Littleton, Colorado, habían pasado rápidamente. Mis días habían estado llenos de estudio, trabajo como consejera, clubes de la escuela y mucho tiempo con mis amigos. Hoy estábamos celebrando nuestros logros. Estábamos celebrando la vida.

Escuché cómo orador tras orador se pararon detrás del podio y hablaron sobre el futuro, recordando el pasado. Sonó una fuerte bocina y yo sonreí mientras tiraban una pelota de playa entre la gente de la audiencia. Por un momento, sólo por un momento, esta graduación parecía el día que siempre había imaginado.

Luego vi a los padres de mi amiga, Lauren Townsend, subir al escenario. Con orgullo en sus rostros, recibieron el diploma de Lauren, una estudiante con honores. Y una vez más, me di cuenta de cuánto habían cambiado las cosas desde ese horrible día cuatro semanas atrás.

Mi vida, y la vida de otros miles, habían cambiado el 20 de abril de 1999. Recién había llegado a la biblioteca esa mañana. Como era nuestra costumbre ese semestre, me reuní con otras cinco chicas de la clase de inglés. Algunas veces trabajábamos en tareas, otras, sólo conversábamos.

Me senté a leer un nuevo libro de consejería, mientras que mis amigas se sentaron en una mesa cercana a trabajar en un proyecto de inglés. Súbitamente, una maestra entró corriendo a la biblioteca. "¡Todos al suelo!", gritó, "¡hay un chico con un arma!"

Al principio, mis amigas y yo pensamos que sería una travesura de los graduandos. Luego, del piso de abajo escuchamos gritos y tiros. El suelo tembló mientras estallaban bombas debajo de nuestros pies. Mis amigas y yo nos metimos debajo de una mesa. Yo era la que estaba más cerca de Lauren. Llenas de miedo, nos tomamos de las manos y nos abrazamos. Empecé a orar en silencio, rogando a Dios que nos ayudara.

"Todo va a estar bien", decía Lauren mientras nos aferrábamos la una a la otra.

Luego oímos a los que estaban armados, que más tarde supimos que eran dos chicos de nuestra misma escuela, entrar a la biblioteca. Se reían mientras disparaban a los estudiantes al azar. Yo lloraba y escondí la cara detrás de la viga que atravesaba la parte de abajo de la mesa. Continué orando desesperadamente.

Luego sentí un intenso dolor cuando una bala me hirió. Su fuerza me tiró fuera de donde estaba escondida. "¡Dios, ayúdame!", grité y luego miré hacia arriba, directamente al chico con el arma.

"¿Crees en Dios?", me preguntó uno de ellos.

Primero me aterrorizó decirle que sí, pero sabía que no podía mentir.

"Sí", le dije.

"¿Por qué?", me preguntaron, burlándose.

Medio aturdida por mi herida, les dije: "Es lo que mis padres me enseñaron, y es lo que yo creo". Luego me escondí nuevamente debajo de la mesa; débil por la pérdida de sangre y con la esperanza de que me dejaran en paz. Milagrosamente, se dieron la vuelta y finalmente salieron de la biblioteca.

"¡Lauren!", le dije, codeando a mi amiga que todavía estaba tirada debajo de la mesa. "Ya podemos irnos. ¡Ya se fueron!" Pero Lauren no se movió.

"¡Despierta!", intenté de nuevo, "ya se fueron".

No hubo respuesta.

Quizá se desmayó, pensé. Luego, mirando por encima de Lauren, vi a estudiantes que corrían por una salida de emergencia.

Estaba completamente cubierta en sangre, y sabía que estaba herida de gravedad. Amontonando mi blusa, presioné contra mi estómago, tratando de detener la sangre. ¡Tenía que salir de allí! Esperanzada en que alguien volviera por Lauren, usé toda la fuerza que tenía y salí corriendo por la puerta. Logré llegar a un automóvil de la policía que estaba estacionado lejos del edificio. Un oficial y otros estudiantes estaban escondidos detrás del automóvil y logré llegar a la hierba detrás de él, donde caí.

Otro estudiante, de tercer año, me vio allí. Aunque él también estaba herido, tomó una camiseta y vino hacia mí.

"Hola", me dijo, "¿te estás graduando este año, verdad? ¿A qué universidad piensas ir el próximo año?"

Traté de hablarle, pero me encogí cuando empujó la sudadera contra mi vientre sangrante. En ese momento, lo odié, sin darme cuenta de que estaba tratando de salvarme la vida.

"¡No te duermas!", me ordenó el chico.

Finalmente, me llevaron al hospital donde los médicos me atendieron. Tenía tanto miedo y quería a mis padres, Mark y Shari Schnurr. Finalmente, ellos llegaron. Los médicos les dijeron que había recibido nueve heridas de bala y varias heridas de granada. Estaban sorprendidos de que estuviera viva. Según dijeron, solamente la intervención divina pudo haberme salvado la vida.

El dolor y la terrible impresión de lo que había vivido, eran difíciles de manejar, pero mis padres me ayudaron mucho estando a mi lado y animándome. Me protegieron de todo horror adicional a no dejarme leer los periódicos y mantener el televisor apagado.

Vino gente famosa a verme. Recibí flores y tarjetas de apoyo de todo el mundo. Fue muy conmovedor ver cuánta gente se preocupó. Pero era aun más reconfortante ver a mi lado a mis padres, a mis dos hermanas menores y a mis buenos amigos, la gente que realmente me ama.

Lentamente empecé a sanar, batallando por mantener la fe y lidiar con las heridas físicas. Luego, cuatro días después del tiroteo le pregunté a mamá y a una amiga: "¿Cómo está Lauren?"

Guardaron silencio. Podía ver la respuesta en sus rostros, y empecé a llorar. Lauren, la inteligente y vivaracha Lauren, había muerto en la biblioteca.

Se perdió tanto ese día en Columbine. Lauren y otras doce personas inocentes perdieron sus vidas a manos los dos asesinos que después se suicidaron en la escuela.

Pasé una semana en el hospital mientras me recuperaba de la cirugía, pero las heridas mentales eran mucho más profundas. Continuamente muchas preguntas me atravesaban la mente. ¿Por qué lo hicieron? ¿Por qué murió gente inocente? ¿Por qué murió Lauren y yo viví?

Ahora, sentada en el acto de graduación, viendo a la familia de Lauren recibir el diploma por el que su hija había trabajado tanto, supe que no había respuesta para esas preguntas. Otras dos de las chicas que estuvieron conmigo en la biblioteca ese día, también fueron heridas y las vi recibir sus diplomas, y empezar una nueva parte de sus vidas. Llegó mi turno de recibir aquel trozo de papel por el que había trabajado tanto. Cuando dijeron mi nombre y tomé mi diploma, me sorprendió el sonido del aplauso. Al darme la vuelta vi a toda la audiencia de pie, compartiendo el gozo de mi logro, recuperación y una segunda oportunidad en la vida.

Sé que perdí mucho ese día en Columbine, pero ése fue solo un día. También hay muchos otros recuerdos preciosos de la escuela secundaria. Aunque fue difícil, siempre estaré agradecida de haber estado lo suficientemente bien para asistir a los últimos tres días de mi último año en la secundaria. Fue mi manera de recuperar lo que me habían quitado, mis buenos recuerdos de una gran época de mi vida.

Mi fe en Dios ha sido fortalecida desde ese día. No sé por qué pasaron los tiroteos, pero sí creo que hubo una razón por la que no perdí la vida. El bien puede vencer el mal, y ahora me enfoco en lo que puedo hacer con mi vida.

Pronto empezaré la universidad para estudiar magisterio, y más tarde quiero estudiar consejería. Estoy decidida a tratar de ayudar a mis semejantes. No quiero olvidar, sino que quiero trabajar para lograr un cambio. Quizá algún día yo pueda ser la persona que alcanza a un estudiante con problemas. Tal vez puedo hacer la diferencia en la vida de alguien.

El amor de una madre

DAVID GIANNELLI

TOMADO DE "CHICKEN SOUP FOR THE PET LOVER'S HEART"
(SOPA DE POLLO PARA EL ALMA DE LOS QUE AMAN LAS MASCOTAS)

Soy bombero en la ciudad de Nueva York. Ser bombero tiene su lado sombrío. Te parte el corazón ver cómo se destruye el hogar o el negocio de una persona. Ves mucho dolor y algunas veces también muerte. Pero el día que encontré a Scarlet fue distinto. Ese día estuvo lleno de vida y de amor.

Era viernes, y habíamos atendido una alarma temprano en un garaje que se estaba quemando en Brooklyn. Mientras me ponía mi equipo, oí el gemido de unos gatos. No podía detenerme, tendría que buscar a los gatos después que apagáramos el fuego.

Era un incendio grande, así que había otras compañías de bomberos en el lugar. Nos habían dicho que todos los que estaban en el edificio habían logrado salir a salvo. Yo realmente esperaba que así fuera, el garaje estaba en llamas y habría sido inútil que alguien intentara un rescate. Tomó mucho tiempo y muchos bomberos controlar las enormes llamas.

En ese momento pude investigar de dónde venía el gemido de los gatos, que todavía podía oír. Había mucho humo y el calor que salía del edificio era muy intenso. No podía ver muy bien, pero seguí el maullido a un lugar en la acera como a metro y medio del frente del garaje. Allí había tres aterrorizados gatitos acurrucados que gemían. Luego encontré dos más, uno en la calle y el otro al otro lado de la calle. Debían haber estado dentro del edificio, pues tenían el pelaje quemado. Grité para que alguien me trajera una caja, y de entre la multitud a mi alrededor apareció una. Puse a los cinco gatitos en la caja y los llevé al pórtico de una casa vecina. Empecé a buscar a su mamá. Era obvio que la madre había entrado al garaje en llamas y había sacado a cada uno de sus bebés, uno por uno, hacia la acera. Cinco viajes dentro de ese calor tan intenso y humo asfixiante, era algo difícil de imaginar. Luego intentó llevarlos al otro lado de la calle, lejos del edificio. Una vez más, uno por uno. Pero no había podido terminar el trabajo. ¿Qué le habría pasado?

Un policía me dijo que había visto a un gato ir al terreno donde encontré a los últimos dos gatitos. Ella estaba allí, tirada y gimiendo. Estaba horriblemente quemada. Tenía los ojos cerrados por las ampollas, las patas negras y el pelaje muy quemado. En algunas partes se le veía la piel enrojecida donde el pelo se le había quemado completamente. Estaba demasiado débil para moverse. Me acerqué lentamente a ella hablándole suavemente. Me imaginé que sería un gato salvaje y no quería asustarla. Cuando la levanté, lloró de dolor, pero no se resistió. El pobre animalito olía a pelo y piel quemados. Me miró y luego se relajó en mis brazos tanto como su dolor se lo permitió. Sintiendo que confiaba en mí, sentí cómo se me encogió la garganta y empezaron a fluir lágrimas de mis ojos. Estaba decidido a salvar a esta valiente gatita y su familia. Su vidas estaban literalmente, en mis manos.

Puse a la gata en la caja con los gatitos que seguían gimiendo. Aún en su patética condición, la madre ciega se movió en la caja y tocó a cada gatito con su nariz, uno por uno, asegurándose de que todos estuvieran allí y a salvo. Estaba contenta, a pesar de su dolor, ahora que estaba segura de que todos sus hijitos estaban bien.

Era obvio que los gatos necesitaban cuidado veterinario inmediato. Pensé en un albergue de animales muy especial que quedaba en Long Island, el *North Shore Animal League*, adonde había llevado a un perro gravemente quemado que rescaté once años atrás. Si alguien podía ayudarlos, eran ellos.

Llamé para avisarles que iba en camino con una gata gravemente quemada y sus gatitos. Todavía tenía puesto el equipo de apagar incendios, y olía a humo. Conduje mi camión hacia allí tan rápido como pude.

Cuando llegué a la entrada, vi a dos equipos de veterinarios y técnicos parados en el estacionamiento, esperándome. Se apresuraron a entrar a los gatos a una sala de tratamiento. Pusieron a la madre en una mesa con un equipo de veterinarios, y a los gatitos en otra mesa con el segundo equipo.

Totalmente exhausto por haber apagado el incendio, me paré en la sala de tratamiento, manteniéndome fuera del camino. No tenía mucha esperanza de que estos gatos sobrevivieran. Pero, de alguna manera no podía dejarlos. Después de una larga espera, los veterinarios me dijeron que observarían a los gatitos y a su madre durante la noche, pero no se sentían muy optimistas respecto a las probabilidades de supervivencia de la madre.

Volví al día siguiente y esperé, y esperé. Estaba por darme por vencido cuando los veterinarios finalmente vinieron a hablar conmigo. Me dieron la buena noticia de que los gatitos sobrevivirían.

"¿Y la madre?", pregunté. Temía escuchar la respuesta. Todavía era demasiado pronto para saber.

Volví cada día, pero siempre era lo mismo; simplemente no sabían.

Una semana después del incendio, llegué al albergue un poco desanimado, pensando: *Seguramente, si la mamá gata iba a sobrevivir, ya habría reaccionado. ¿Cuánto tiempo más podría debatirse entre la vida y la muerte?*

Cuando llegué a la puerta, los veterinarios me recibieron con grandes sonrisas y muestras de ánimo. No solamente la gata iba a estar bien, sino que recuperaría la vista.

Ahora que iba a vivir, necesitaba un nombre. A uno de los técnicos se le ocurrió Scarlet, por el color rojizo de su piel quemada.

Saber lo que Scarlet había hecho por sus gatitos, hizo que el corazón se me derritiera cuando se volvió a reunir con ellos. ¿Y qué fue lo primero que hizo mamá gata cuando los tuvo cerca? ¡Contarlos! Tocó a cada uno de sus gatitos otra vez, nariz con nariz, para asegurarse de que todos estuvieran sanos y salvos. Ella había arriesgado su vida, no solamente una, sino cinco veces, y valió la pena. Todos sus bebés sobrevivieron.

Como bombero, veo el heroísmo cada día. Lo que Scarlet me demostró ese día, fue el heroísmo en su mayor exponente, el tipo de valor que mana sólo del amor de una madre.

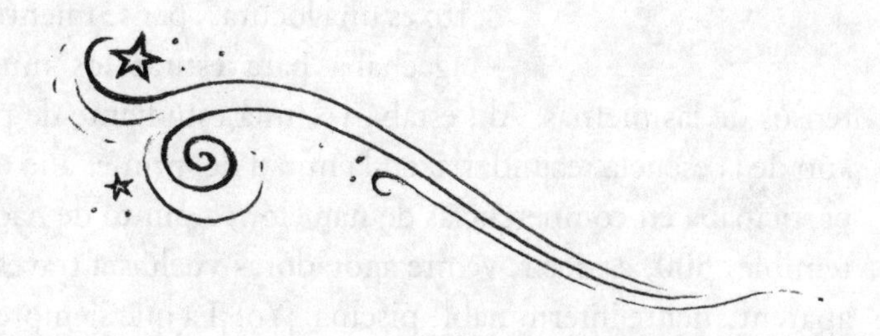

Busca llegar alto, alcanzar las estrellas
que se ocultan en tu alma.
Sueña profundo, pues cada sueño antecede
al logro de tu meta.

—Autor desconocido

El verdadero ganador

AMANDA CORNWALL
14 AÑOS

TOMADO DE "TREASURES 3: STORIES AND ART
BY STUDENTS IN JAPAN AND OREGON"
(TESOROS 3: HISTORIAS Y ARTE POR ESTUDIANTES
DE JAPÓN Y OREGÓN)

"Esto es una locura", pensé mientras me agachaba para estirar los músculos tensos de las piernas. Ahí estaba yo, una estudiante de primer año de la escuela secundaria, en la mitad del primer año en que participaba en competencias de natación, a punto de nadar los temibles 500, es decir, veinte agotadoras vueltas a través de la aparentemente interminable piscina. ¡Yo! ¡La que siempre escogen última en todos los deportes, la que en lugar de decir orgullosamente en voz alta su calificación de educación física, se la dice siempre a su maestra en el más silencioso susurro! Al principio de la temporada mi entrenadora me llamaba (de cariño, creo), "la ahogada", y hacía apuestas privadas con la entrenadora asistente sobre el tiempo que yo duraría en el equipo. Estaban seguras de que renunciaría después de los primeros dos días. A pesar de su increíble fe en mí, me quedé allí. ¡Y ahora, aquí estaba, a punto de nadar en la competencia más difícil de mi vida!

No tenía posibilidades de ganar. Al fin de cuentas, ¿cómo me metí en esto? Ah, sí … una de las alumnas del cuarto grado que iba a participar en esa competencia se lastimó el hombro.

Así que la entrenadora asistente sonrió cuando me preguntó: "¿Quieres nadar los 500?" Debí haber tenido una falla temporal de mi usualmente sano juicio cuando le dije que sí. Quizá quería probar que a pesar de mi cuerpo delgadito no era una cobarde. Tal vez fue porque quería verle la cara a la entrenadora asistente cuando acepté participar.

"Simplemente acepté participar, eso es todo", dije en voz alta mientras me acomodaba mis gafas protectoras. La chica a mi lado levantó una ceja, yo me ruboricé. De repente, la voz irritante del hombre con el micrófono dijo las palabras que temía: "Quinientos metros, estilo libre, categoría femenina. ¡Nadadoras, a sus puestos!"

"¡Ahora sí!", le dije al agua clara debajo de mí, mientras me paré sobre el bloque de salida.

"¡En sus marcas!", dijo el anunciador.

"*¡Adiós, mundo!*", pensé mientras me agachaba para tomar posición en la orilla metálica del bloque. Un silencio de tensa anticipación se sintió en la piscina. Mientras esperaba el sonido de salida, mis sentidos se enfocaron en el aumento de los latidos de mi corazón. ¡Biiiiiiip! La estrepitosa señal rompió la frágil quietud. Reaccioné instantáneamente, tirándome del bloque con toda mi fuerza. Aun así, mi clavado fue un pie más corto que el de las demás nadadoras.

El súbito golpe del agua helada fue electrizante. Salí a la superficie y empecé a nadar, con cada brazada crecía mi confianza. Mis únicos pensamientos eran "brazada-dos-tres-cuatro, respira-brazada-dos-tres-cuatro…", mientras mi cuerpo respondía al tiempo que agarraba mi ritmo.

Durante la primera vuelta y media, todas íbamos rápido y permanecimos relativamente juntas. Pero pronto, las nadadoras más rápidas empezaron a alejarse y yo me quedé atrás. De allí en adelante, no me fijé en las demás nadadoras. Solamente veía las paredes frente a mí y la cruel tarjeta contadora que me decía que sólo había nadado nueve largos de la piscina. Sentía como si fueran mil. No te preocupes, ¡sigue adelante! ¡Tú puedes hacerlo!, me decía a mí misma con todo el entusiasmo que podía reunir. Después de eso sentí un aumento de energía, como si mis baterías hubieran sido recargadas. Había más fuerza en mis brazadas y mis patadas también eran más fuertes. Me hacía a mí misma un comentario tranquilizador en cada vuelta.

Para la vuelta número trece, me sentía bien, casi demasiado bien. "Estoy tan orgullosa de ti", me dije a mí misma. Me sentía invencible, como si pudiera hacer cualquier cosa que quisiera. Sentí que podía atravesar nadando el Canal de la Mancha, no, mejor dicho, el Océano Atlántico.

Luego, súbitamente, sentí como que ya no podría nunca más en mi vida dar otra brazada. El dolor y el pánico reemplazaron mi mundo de fantasía. Me dolían las piernas, me ardían los pulmones y perdí el ritmo. Mis únicos pensamientos eran salir de esa piscina y no volver nunca más. ¡Date por vencida!, me decía a mí misma luchando con el gua fría que se sentía densa como lodo de pantano. Sólo piensa en lo maravilloso que se sentiría salir del agua y tomar una largo baño caliente.

"¡No!", dije y alejé el débil pensamiento de mi mente. En lugar de eso pensé en la humillación que me traería el renunciar. ¡Tú no eres cobarde! La determinación formó una pared de acero en mi mente. Terminaría esta carrera aunque muriera.

Una vez más, agarré el ritmo y obligué a mi cuerpo a nadar. La pistola sonó en mi vuelta número quince, advirtiendo a las demás nadadoras que la líder iba en sus últimas dos. Dejé de pensar y dolorosamente seguí nadando. Finalmente la tarjeta no me mostró más números, solamente vi los rectángulos color naranja que significaban que estaba en mi última vuelta. Hice mi último giro y empecé la vuelta final. Cuando la pared apareció frente a mí por última vez, sentí como si un ángel misericordioso hubiera venido a abrazarme. Toqué la meta con la última gota de fuerza que me quedaba.

Logré llegar a la banca de metal donde estaba mi toalla. La tomé, e hice un par de desmoralizantes intentos de secarme y luego caí sobre la banca. Mientras estaba allí acostada, jadeando, el dolor y el agotamiento fueron reemplazados gradualmente por sentimientos de orgullo, satisfacción y gloria. Escuché a mi entrenadora felicitar a la nadadora que llegó en primer lugar.

No, pensé, la entrenadora, está felicitando a la persona equivocada. La carrera de ella vendrá más tarde, en las estatales y más allá, donde va a encantar a los observadores con su fuerza y talento. Esta era mi carrera y la gané. Mi victoria fue diferente. Había triunfado sobre mi propia inseguridad, mi propio dolor, mi debilidad y las dudas de todos los demás.

NORMAN VINCENT PEALE

TOMADO DE "YOU CAN IF YOU THINK YOU CAN"
(TÚ PUEDES SI PIENSAS QUE PUEDES)

En 1970, Tom Dempsey pateó aquel increíble gol desde una distancia de sesenta y tres yardas que electrizó al mundo atlético.

Tom nació solamente con la mitad del pie derecho y con la mano derecha deforme. Tuvo unos padres muy buenos que nunca le hicieron sentirse incómodo de su incapacidad. Como resultado de ello, el chico hacía todo lo que los demás hacían. Si los Scouts escalaban diez millas, también Tom lo hacía. ¿Por qué no? El no era diferente a los demás. Él podía hacerlo, igual que cualquier otro chico.

Luego quiso jugar fútbol americano, y decidió utilizar un talento especial que poseía. Descubrió que podía patear una pelota más lejos que cualquier otro con quien jugaba. Para usar al máximo esta habilidad, le diseñaron un zapato especial. Sin pensamientos negativos sobre el pie y mano deformes, se presentó a las pruebas de selección de jugadores, y le dieron un contrato con el equipo de los *Chargers.*

El entrenador, tan gentilmente como pudo, le notificó que "no tenía lo que se necesita en la liga profesional", y le recomendó que intentara alguna otra cosa. Finalmente, presentó una solicitud con los *Saints* de Nueva Orleans y rogó p or una oportunidad. El entrenador tenía sus dudas, pero le impresionó que el muchacho creyera tanto en sí mismo, así que lo contrató.

Dos semanas más tarde, el entrenador estaba aun más impresionado cuando Tom Dempsey pateó un gol desde cincuenta y cinco yardas en un juego de exhibición. Eso le consiguió un empleo regular con los *Saints*, y en esa temporada anotó noventa y nueve puntos para su equipo. Luego llegó el gran momento. El estadio estaba abarrotado con sesenta y seis mil aficionados. La pelota estaba en la línea de la yarda número veintiocho, con apenas unos segundos en el marcador. La jugada avanzó la pelota hasta la yarda número cuarenta y cinco. Ahora era tiempo de una sola jugada. "Ve allí y patéala, Dempsey", gritó el entrenador.

Corriendo hacia el campo, Tom sabía que su equipo estaba a cincuenta y cinco yardas de la línea de gol, o sea a sesenta y tres yardas del punto al que tenía que patear. La distancia más larga que jamás se había visto en un juego regular había sido de cincuenta y cinco yardas que pateó Bert Rechichar de los *Colts* de Baltimore.

El ángulo de la pelota era perfecto. Dempsey pateó la pelota y la vio en el aire. ¿Pero, iría la distancia requerida para el gol? Los espectadores observaban sin aliento. El oficial en la zona final levantó las manos señalando que lo había logrado. La pelota había pasado la barra por pulgadas. El equipo ganó 19-17. Los aficionados saltaban y gritaban en las gradas, emocionadísimos por el gol de campo más largo que se había anotado jamás. ¡Y lo había logrado un jugador que sólo tenía la mitad de un pie y una mano deforme!

"¡Increíble!", gritó alguien. Pero Dempsey sonrió. Él recordó a sus padres. Siempre le habían dicho lo que podía hacer, no lo que no podía hacer. Logró esa tremenda hazaña porque, como él muy bien lo dijo: "Nunca me dijeron que no podía hacerlo".

Doce billetes de cinco dólares

JEFF LEELAND
CON TRACY SUMNER
ADAPTADO DE "ONE SMALL SPARROW"
(UN PEQUEÑO GORRIÓN)

Dameon Sharkey, de trece años de edad, tenía dificultades que vencer, problemas físicos que enfrentar y retos que superar. Dameon no pasaba desapercibido. No se vestía como la mayoría de los estudiantes de secundaria sino que usaba pantalones negros, una camisa blanca abotonada, y corbata para ir a la escuela todos los días.

Como adolescente que tenía muy pocos amigos y a quien no le iba bien en los estudios, Dameon no parecía ser el tipo de chico que lograría algo en la vida. A pesar de esto, se convirtió en héroe en su comunidad y, en particular, de una familia que enfrentaba dificultades.

Jeff Leeland, el profesor de educación física de Dameon y su esposa Kristi, acababan de recibir noticias devastadoras: A su pequeño hijo de seis meses, Michael, el cuarto de sus hijos, le habían diagnosticado una condición de preleucemia que requeriría que fuera sometido a un transplante de médula para salvarle la vida.

Peor aún, debido a que Jeff tenía muy poco tiempo en su trabajo, la compañía de seguros se rehusaba a pagar la cuenta de

$175.000 dólares que se necesitaban para admitir a Michael en el hospital para la operación. Los médicos les habían dicho a ellos que la médula de su hija Amy, de seis años era perfecta para Michael. Con esa cima escalada, la familia Leeland ahora enfrentaba lo que parecía una montaña imposible de superar.

El tiempo se acortaba para Michael. A menos que se le hiciera el transplante de médula, había muy pocas posibilidades de que viviera mucho tiempo.

Parecía una situación sin esperanza. El pequeñito de Jeff Leeland estaba muriendo y no había nada que él pudiera hacer al respecto. Se sentía derrotado y herido por lo que estaba pasando en su vida y en la vida de su familia. Todo lo que podía hacer era orar. En medio de su oración, sintió la seguridad de que Dios tenía todo bajo control.

Jeff Leeland se había convertido en uno de los maestros favoritos de Dameon y el joven no podía quedarse sin hacer nada cuando veía la necesidad de su maestro. Dameon fue a su banco, sacó los ahorros de toda su vida, $60 dólares, y entró a la oficina de Jeff Leeland para hacer su donativo.

"Señor Leeland", le dijo el preocupado joven a su maestro, "usted es mi amigo. Si su bebé está en problemas, yo quiero ayudarlo". Dameon entonces extendió su mano y le dio al sorprendido maestro doce billetes de cinco dólares. Después de abrazar a Dameon y agradecerle su generosidad, Jeff Leeland fue a la oficina del director, y acordaron usar el regalo de Dameon para empezar el "Fondo para Michael Leeland".

Pronto, los compañeros de Dameon empezaron a seguir su ejemplo, empezando a recaudar fondos para la operación de Michael. Escribieron cartas, hicieron llamadas telefónicas, hicieron rifas, pusieron cajas de donativos y se comunicacon con la prensa y la televisión locales para contarles la historia. Un chico del noveno grado, Jon, en su tiempo libre recorrió su vecindario para pedir donativos. La causa de Michael Leeland se convirtió en más que una actividad para recaudar fondos de la Secundaria Kamiakin, se convirtió en una misión para esos jóvenes.

Poco después del obsequio original de Dameon, las donaciones empezaron a llegar. La fundación recibió donaciones tan pequeñas como un dólar, y tan grandes como diez mil. Un hombre que tenía enormes deudas y que había perdido su trabajo, mandó diez dólares, un preso envió veinticinco. Una pequeñita de segundo grado trajo una bolsa con modenas de cinco centavos que sacó de su alcancía, y una chica del octavo grado cambió trescientos dólares en bonos de ahorro y donó el dinero para Michael.

En poco tiempo, la corriente de generosidad se convirtió en un torrente y, a una semana del regalo original, el fondo había crecido a más de dieciséis mil dólares. El torrente de regalos continuó por las siguientes semanas y en menos de un mes de que empezara, el Fondo de Michael Leeland había alcanzado la suma de doscientos mil dólares, más que suficiente para cubrir las cuentas médicas de Michael.

Ese verano, Michael pasó doce duros días de quimioterapia y tratamiento de radiación antes de ser sometido a la operación que le transplantaría la médula de su hermana. Fue toda una odisea para Michael y su familia, pero para su primer cumpleaños, recibieron la noticia de que su conteo de glóbulos blancos había pasado el nivel mínimo. Cuatro años más tarde, el cáncer de Michael estaba en remisión, su cuerpo estaba lo suficientemente saludable como para permitirle empezar a jugar béisbol de niños en uno de los equipos de su barrio. Frecuentemente habla de querer sobresalir como atleta y, gracias a la generosidad de Dameon Sharkey y los esfuerzos de sus compañeros, tendrá la oportunidad de hacerlo.

El Fondo de Michael Leeland no solamente creció lo suficiente como para propiciar que Michael recibiera tratamiento médico que salvaría su vida, sino que se convirtió en un fondo que ahora se conoce como la Fundación Gorrión, una organización de fines no lucrativos que ayuda a jóvenes en escuelas, iglesias y organizaciones juveniles para apoyar a sus jóvenes vecinos que tienen necesidad de tratamientos médicos.

Fue la generosidad y compasión de un adolescente de buen corazón lo que inició esa fundación. Dameon Sharkey no tenía mucho que dar, pero lo que tenía, lo dio con alegría.

Y el resultado fue más que suficiente.

Para mi hermana

David C. Needham
Tomado de "Close To His Majesty"
(Cerca de su majestad)

Hay una historia verídica de un pequeñito, cuya hermana necesitaba una transfusión de sangre. El médico explicó que ella tenía la misma enfermedad de la que el niño se había recuperado dos años atrás. Su única oportunidad de recuperación era una transfusión de alguien que previamente hubiera vencido la enfermedad. Ya que los dos niños tenían el mismo tipo inusual de sangre, el niño era el donador ideal.

"¿Le darías sangre a Mary?", le preguntó el médico.

Johnny dudó un momento. Su labio inferior empezó a temblar. Luego sonrió y dijo: "Sí, ella es mi hermana".

Pronto los dos niños fueron llevados a la sala del hospital. Mary, pálida y delgada; Johnny, robusto y saludable. Ninguno habló, pero cuando sus ojos se encontraron, Johnny sonrió.

Cuando la enfermera ensartó la aguja en su bracito, la sonrisa de Johnny se desvaneció. Observaba cómo la sangre fluía por el tubo.

Cuando la transfusión casi había terminado, la vocesita de Johnny, ligeramente temblorosa rompió el silencio.

"Doctor, *¿cuándo me muero?*"

Solamente entonces entendió el médico por qué Johnny había dudado, por qué su labio había temblado cuando estuvo de acuerdo en donar su sangre. Él pensó que darle su sangre a su hermana, significaría entregar su vida. En ese corto instante, tomó la mayor decisión de su vida.

Los zapatos nuevos de María

Mary-Pat Hoffman

El periódico de nuestra ciudad publicó la historia de una jovencita de Bosnia-Herzegovina que perdió sus dos piernas en la guerra. Ella y su padre fueron heridos por la misma bomba mientras ayudaban a distribuir comida donada por los Estados Unidos a sus compatriotas. Su padre había muerto frente a ella. Era imposible tratar de imaginar todo lo que ella había sufrido.

Recuerdo haber visto las fotografías del artículo una y otra vez, durante ese día. Dejaba el periódico sólo para encontrarme de vuelta una hora más tarde para volver a ver las fotos.

Para esa tarde, ya había decidido escribirle una nota a María. Le contaba sobre momentos felices que he disfrutado montando a caballo, en bailes, yendo a la universidad, andando en bicicleta con mi hija en la playa, y en mi carrera y mi vida de casada. También le mencioné que yo tenía catorce años cuando empecé a usar una pierna artificial.

Antes de sellar el sobre, agregué que me encantaría enviarle a María el obsequio de unos zapatos nuevos. Prometí llevar a mi hija a comprarlos para asegurarme de que estuvieran "a la moda" y le conté lo que había significado para mí tener zapatos nuevos durante días similares.

Me sentí bien por la oferta, pero estaba segura de que nunca recibiría una respuesta. No pude estar más equivocada. Dos días más tarde, recibí una llamada de la compañía de prótesis de donde María era paciente, y me dijeron que mi tarjeta ya se la habían leído a María a través de un intérprete. Cuando mostré mi sorpresa, la mujer dijo que mi carta había sido "la mejor" que María había recibido.

Luego explicó que iban a tener una conferencia de prensa nacional para María el martes siguiente, y me preguntó si prodía enviar un par de zapatos ese fin de semana. Nos lanzamos a una discusión sobre el color del traje que María usaría. Luego sugirió que yo fuera a reunirme con María y fuera parte de la ocasión. Le aseguré que María tendría sus zapatos nuevos a tiempo para la conferencia, pero yo necesitaría tiempo para pensar sobre el viaje.

Mi hija y yo fuimos de tienda en tienda el día siguiente en busca del par exacto de zapatillas de tenis rosadas. Terminamos comprando dos pares, broches para el cabello, un surtido de medias, y un bolso antes de correr al correo para enviar nuestros obsequios a una jovencita que no conocíamos.

Para entonces, ya sabía que haría el viaje para conocer a María. Cuando llegué al centro de prótesis me sorprendió la cantidad de profesionales de la prensa y de los medios de comunicación que había en el lugar. Me recordó una conferencia a la que fui con Nancy Reagan algunos años atrás. El personal de televisión y cable, de radio, escritores y fotógrafos llenaron el cuarto. Era obvio que muchos de ellos habían cubierto eventos nacionales e internacionales por muchos años.

Cuando trajeron a María en una silla de ruedas, miré su rostro y sentí como si la conociera. Pasaron algunos momentos antes que yo pudiera mirar las zapatillas de tenis rosadas que tan cuidadosamente habíamos seleccionado. Me sentí humilde al verlas. Eran una parte tan pequeña de lo que ella enfrentaba cada día.

Se corrió la voz por la multitud de que su madre y sus hermanas no la habían visto con piernas artificiales, menos aún caminar, y que, hasta recientemente, ellas no entendían nada sobre miembros artificiales. Vi a la familia sentada al otro lado del cuarto. María respondía preguntas a través de un intérprete. Me paré fuera del alcance de las cámaras, pero directamente frente a ella. Cuando ella me vio, hice lo posible por sonreírle, y la más pequeña sonrisa empezó a surcar su rostro. Sus ojos me buscaban una y otra vez. Sentí un nexo poderoso. Luego la llevaron frente a los rieles andadores. Su fuerza y determinación eran notables. Me encontré pensando que ella es exactamente el ser humano que necesita ser para vivir su destino.

Los recuerdos me invadieron la mente, y se me llenaron los ojos de lágrimas mientras la veía extender los brazos y tomar los rieles. Yo entendía ese momento. Mientras se iba levantando, se podían escuchar los sonidos de asombro y los sollozos desde al área del cuarto donde estaba su familia. Luego, empezó a caminar. Lentamente al principio, con soportes que la sostenían a cada lado, pero con gracia. Era sorprendente.

A los reporteros en todo el salón se les caían las lágrimas, aun los hombres que eran veteranos, y sin duda habían visto mucho en sus carreras, se vieron forzados a bajar sus cámaras y secarse las lágrimas antes de continuar filmando.

La bella María terminó sus ejercicios parándose sola, sin apoyo, con los brazos extendidos hacia arriba. Un gran logro para alguien que ha estado "de pie, sobre sus piernas" apenas unas horas.

Después de la ceremonia, me presentaron a ella como la mujer que envió los zapatos. "Muchas gracias", me dijo. Hablamos a través de un intérprete sobre cómo ponerse minifaldas y zapatos de tacón alto con los aparatos ortopédicos. Nuestra visita terminó con abrazos y besos.

La madre de María y yo nos abrazamos por un momento, sin decir una palabra. No había un solo ruido en el salón. Cuando terminamos nuestro abrazo, traté de ingeniarme una manera de decirle que María estaría bien. Estaba bien. Está bien. Traté de decírselo de varias maneras, pero no hubo respuesta. "¡Ella está bien!" Otra vez, no hubo respuesta. Finalmente, hice una señal con la mano, sosteniendo el pulgar hacia arriba en señal de que todo estaba bien. Una mirada de entendimiento cruzó su rostro y ambas reímos con la risa que desafía las diferencias de lenguaje, continentes y aun guerras.

Ella sabía que María estaría bien. Yo entendí cuánto me ayudó María a conectarme nuevamente con la temerosa adolescente que yo había sido años atrás y apreciar su valor, quizá por primera vez.

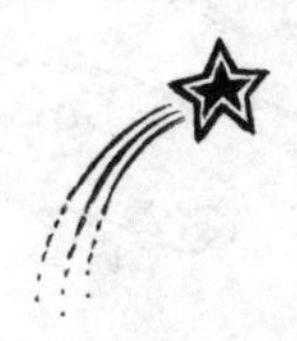

Uno debe recordar tomarse tiempo para disfrutar el aroma de las rosas.
...y luego desenferrarlas...
-stroMoski_

Sacándole lo mejor a la vida

JOE WHITE

TOMADO DE "OVER THE EDGE AND BACK"
(SOBRE EL BORDE Y DE REGRESO)

Wes, como lo conocen sus amigos, tenía lo que John Wayne llamaba dureza. El General Patton lo llamaba agallas. Vince Lombardi lo llamaba "lo que se necesita para ser un ganador". La Biblia lo llama resistencia. Wesley White ciertamente lo tiene todo. La historia de su vida sería un éxito taquillero en una película de Hollywood, o un éxito de librería si se escribiera una novela. Esta historia es verídica.

A la edad de año y medio, un médico de Texas descubrió que Wesley tenía diabetes. Recibir inyecciones diarias, por el resto de su vida no era precisamente agradable para un niño pequeño. Pero los ataques por el desbalance de insulina que podrían darle, eran peor que la aguja.

Como si eso no fuera suficiente, cuando el niño tenía dos años y medio, otro médico le diagnosticó una complicación aún mayor: Wesley era epiléptico. Ambos desórdenes empezaron a accionarse mutuamente. Durante un período intenso de hospitalización que duró seis meses, a Wesley le daban ataques (de los peores, con caídas y golpes en la cabeza) casi a cada minuto.

Usaba un casco de hockey en el hospital para protegerse la cabeza de los golpes. Los médicos les dijeron a sus padres que el niño nunca crecería, que siempre estaría en el hospital, y que probablemente ya habían daños permanentes en su cerebro.

Los médicos nunca pudieron estar más lejos de la verdad. El problema es que nunca midieron el corazón de Wesley. Ese corazón empezó a llevar a Wesley a no solamente convertirse en un niño "normal", sino en un niño extraordinario.

En el sexto grado empezó a boxear como deporte. Wes recuerda los siguientes tres años en el cuadrilátero y sonríe: "Fue un reto. Me gustaba pararme en el cuadrilátero y permanecer de pie por unos minutos mientras otro chico trataba de tumbarme. Nunca quise destruir a mi oponente, sólo quería ganar". Ganar era lo que Wesley hacía con frecuencia. Compitió hasta llegar al campeonato estatal, donde quedó en segundo lugar.

Ahora que Wes está en la secundaria, juega al fútbol. La diabetes y la epilepsia son todavía problemas que persisten, pero no lo detienen. Wes mide solamente un metro sesenta y cinco y pesa sesenta kilos. ¿Adivinen qué posición juega? ¡Se equivocaron! ¡Juega en la defensa, de atajador! Este año, que es su segundo en la secundaria, empezó a jugar en el equipo titular. Para Wesley, no es inusual enfrentarse a un oponente de noventa kilos. Él está acostumbrado a los obstáculos grandes.

¿Quieren saber algo más? Wes ha sido payaso de rodeo. Con su padre hacían un acto en la arena, frente a un toro de una tonelada de peso, y eso no es broma. "Me encanta ver a la gente reír y divertirse", dice Wes.

Los problemas médicos continúan. Cuando le preguntan por qué no se desmoraliza, Wes dice de manera humilde: "Solamente sigo adelante. No me gusta detenerme. Puedes divertirte si así lo deseas. Sí, tengo esta enfermedad, y lo que me queda es disfrutarla y sacarle lo mejor a la vida".

Este verano disfrutó navegando en un kayac (canoa), en uno de los ríos más peligrosos de los Estados Unidos. ¿Quién sabe qué se le ocurirá después?

"Yo sé que Dios me ama", dice Wes. "Él es fiel. Él volverá por mí. Es mi mejor amigo".

Puedo ver fácilmente por qué Wesley White es un ganador. A pesar de sus impedimentos, le saca más a la vida que ningún otro joven que conozco.

Un regalo de Navidad que nunca olvidaré

LINDA DEMERS HUMMEL
TOMADO DE LA REVISTA "FAMILY CIRCLE"
(CÍRCULO FAMILIAR)

Llegó a mi vida hace veinte años, cuando lo vi recostado en la puerta del salón 202, donde yo daba clases en el quinto grado. Usaba zapatillas de tenis tres tallas más grandes que su tamaño, y pantalones a cuadros desgarrados en las rodillas.

Daniel, como lo llamaré, aunque ése no es su verdadero nombre, hizo su entrada a la escuela de un pueblito conocido por su gente adinerada, casas coloniales y buzones de bronce. Me dijo que su última escuela había sido en un condado vecino. "Estábamos recogiendo fruta", fue lo que me dijo.

Sospeché que este amistoso, sonriente y pobre chico de una familia de trabajadores migratorios, no tenía idea de que había caído en una jaula de leones de quinto grado que nunca antes habían visto pantalones rotos. Si se dio cuenta de las risitas, no les prestó atención. Él, simplemente no tenía complejos.

Veinticinco chicos veían a Daniel de manera sospechosa hasta el juego de béisbol de esa tarde. Allí, lidereó el primer período con un *home run*. Con ello, vino un poco de respeto de parte de los críticos de moda del salón 202.

Después era el turno de Charles, el menos atlético de todos y el chico con el mayor sobrepeso en la historia del quinto grado. Después de su segundo *strike*, entre las miradas y comentarios de la clase, Daniel se le acercó y le dijo: "No les hagas caso, muchacho, tú puedes darle a la pelota".

Charles se relajó un poco, sonrió, se paró firme y de todos modos salió del juego. Pero en ese preciso momento, al desafiar el orden social de la jungla a la que recién había entrado, Daniel gentilmente empezó a cambiar las cosas, y a nosotros también.

Para fines de otoño, ya el chico nos gustaba a todos. Nos enseñó todo tipo de lecciones. Cómo llamar a un pavo salvaje, cómo saber si la fruta está madura antes de la primera mordida, cómo tratar a los demás, aún a Charles, y especialmente a Charles. Nunca usó nuestros nombres, siempre me llamó "Señorita" y a los estudiantes los llamó "chicos".

El día antes de las vacaciones de Navidad, los alumnos siempre traían obsequios para la maestra. Era un ritual, abrir cada paquete de la tienda de departamentos, examinar el caro perfume, la bufanda o la billetera de cuero, y agradecer al chico.

Esa tarde, Daniel llegó a mi escritorio y me habló al oído. "Nuestras cajas de mudanza llegaron anoche", dijo con emoción, "nos vamos mañana".

Se me llenaron los ojos de lágrimas al asimilar la noticia. Él rompió el silencio contándome sobre la mudanza. Luego, cuando adquirí de nuevo la compostura, sacó una piedra gris de su bolsillo. Deliberadamente, y con gran estilo, la empujó gentilmente sobre mi escritorio.

Sentí que esto era algo extraordinario, pero mi práctica con los perfumes y la seda no me había preparado para responder ante este obsequio. "Es para usted", dijo, fijando su mirada en mis ojos, "la pulí en forma especial".

Nunca he olvidado ese momento.

Han pasado muchos años desde entonces. Cada Navidad mi hija me pide que cuente esta historia. Siempre empieza después que ella ha tomado la pequeña roca pulida que está sobre mi escritorio y se acomoda en mi regazo. Las primeras palabras de la historia nunca cambian. "La última vez que vi a Daniel, me dio esta piedra de regalo y me contó de sus cajas de mudanza. Eso fue hace mucho tiempo, mucho antes que tú nacieras".

"Ahora es adulto", terminó. Juntas nos preguntamos dónde estará y qué hará.

"Debe ser una buena persona, estoy segura", dice mi hija. Luego agrega: "Cuenta el final de la historia".

Yo sé lo que ella quiere escuchar, la lección de amor que aprendió una maestra de un chico que no tenía nada, y que lo tenía todo para dar a la gente. Un chico que vivía de cajas. Toco la piedra, recordando.

"Hola chico", digo suavemente, "soy la señorita. Espero que ya no necesites las cajas de mudanza, y te deseo una Feliz Navidad, dondequiera que estés".

Amigos

Cosas que he aprendido últimamente...

El verano es mi estación favorita,
los amigos no siempre tienen que llevarse bien,
hay tanto más dentro de la gente que no vemos a simple vista,
y todos necesitamos que nos amen.

Un rayo de sol

TOMADO DE "FRIENDS" (AMIGOS)

El silencio era casi insoportable. Estaba demasiado nerviosa como para hablar y creo que todos lo demás lo estaban también. El viaje en automóvil parecía interminable. De vez en cuando nos mirábamos y forzábamos una sonrisa, pero nuestras sonrisas eran más nerviosas que cálidas.

No sé en qué estaba pensando ella, pero sé que muchos recuerdos me invadían la mente. Recordaba mi primer día de clase cuando sentía que tenía una luz sobre mí y que alguien me había escrito un letrero de "nueva" en la frente. Ella simplemente me miró, me tomó de la mano y me dijo: "Ven, te ayudaré a buscar tu salón de clase".

Luego recordé la vez que fallé el tiro ganador en un juego de baloncesto en el sexto grado. El otro equipo llevaba un punto de ventaja y me cometieron una falta justo cuando sonó el marcador. Se me permitió un tiro libre, pero fallé y el otro equipo ganó el partido. Estaba molesta conmigo misma y me disculpé con mi equipo. Sentía que había decepcionado al mundo entero. Me senté en las bancas con la cabeza entre las manos. De repente, sentí su mano apoyada sobre mi hombro y una corriente de calidez y comprensión me atravesó. Cuando levanté la vista, ella vio lo destrozada que yo estaba y se le llenaron los ojos de lágrimas. Me abrazó y me contó la historia de cuando en un partido, ella se había pegado con su propio palo de hockey. Rápidamente, la risa sustituyó mi llanto.

También estuvo a mi lado cuando mi primer novio me dejó. Cuando colgué el auricular sentía que las lágrimas me sofocaban. Sentía como si alguien me hubiera arrancado el corazón en cuestión de minutos, pero, una vez que ella me extendió los brazos, me aferré a ella como si fuera lo último que me quedaba en el mundo.

Cuando volví de mis pensamientos, me di cuenta de que nuestro viaje estaba por terminar. Sólo faltaba una hora. Empezó a arreglarse el cabello como suele hacerlo cuando se pone nerviosa. Desde el asiento de atrás, donde yo estaba sentada, pude ver una sola lágrima rodar por su mejilla. Parecía como si a la lágrima le hubiera tomado todo el resto del trayecto llegarle a la barbilla.

Cuando llegamos a la universidad, la tormenta que misteriosamente había aparecido, estaba cediendo. Encontramos el camino hacia su dormitorio, desempacamos sus cosas y estábamos paradas frente al automóvil, a punto de despedirnos. No podía hacerlo. No podía despedirme. Nos miramos fijamente, con lágrimas. Un estrecho abrazo y un beso en la mejilla fueron nuestra despedida. Me subí al automóvil y me ajusté el cinturón de seguridad.

Ella se sentó en la hierba y nos vio partir. Por el espejo retrovisor vi con detenimiento a mi mejor amiga, a quien dejaba en la universidad. Me quedé mirando hasta que el automóvil dio la vuelta en la esquina y los edificios me impidieron ver a mi hermana. Miré hacia el cielo y a través de las nubes vi un sólo rayo de sol. En ese momento, sentí que todo iba a estar bien.

Annie

Samantha Ecker

Tomado de "Friends" (Amigos)

Cuando tenía diez años, tenía muchos amigos, pero al mirar atrás ahora, mi mejor amiga fue alguien a quien nunca consideré siquiera mi amiga. A Annie sólo la consideraba mi vecina de al lado.

No sabía mucho sobre Annie. Era cuatro años mayor que yo e iba a una escuela de arte en la ciudad. Cada tarde, cuando yo jugaba frente a mi casa con mi hermano Kevin, veía a Annie caminar a su casa desde la estación del tren. Recuerdo admirar lo madura que se veía cargando su gran portafolio negro mientras su bello cabello rubio flotaba en el viento. Veía su brillante y amigable sonrisa y corría a saludarla. Admiraba las pecas que agraciaban su rostro. Annie era la única persona con pecas que conocía. Deseaba tener pecas y ser lo suficientemente mayor para ir a la escuela con ella.

Algunos fines de semana, Annie inventaba juegos para que Kevin y yo jugáramos. Hacíamos búsquedas de tesoros y representábamos "obras de teatro" basadas en las historias que Annie nos contaba. Sus historias nos mantenían encantados por horas. Admiraba muchísimas cosas de Annie, pero lo que más admiraba de ella era su imaginación.

Cuando a Kevin y a mí nos castigaban por hacer travesuras, nos enviaban a nuestros dormitorios. Solíamos mirar al otro lado de la entrada de automóviles, hacia la casa de Annie. Nos fijábamos en su ventana para ver si ella estaba allí. Si estaba, teníamos un código que Annie había inventado para enviarnos mensajes secretos.

Una vez, Annie nos mostró el mural que había pintado en la pared de su dormitorio. En todos los colores que puedan imaginarse, ella había pintado todo un surtido de personajes animados. En mi mente, Miguel Angel no pudo haber hecho un trabajo más impresionante.

Durante el verano, siempre teníamos algo qué hacer, gracias a Annie. Nos enseñaba técnicas de arte y nos mostraba cómo hacer estatuas usando piedras. Hacía tramas complicadas con personajes interesantes que mi hermano y yo pudiéramos representar. Para el final del verano, Kevin y yo habíamos sido espías, detectives y todo tipo de personajes.

Un día, estaba sentada en el pórtico de mi casa. Era mi cumpleaños, y yo me sentía triste. No puedo recordar por qué. Annie apareció de pronto y me dio una tarjeta de cumpleaños, y un dibujo que había hecho para mí. Hasta el día de hoy, aún no sé cómo recordó mi cumpleaños, pero me alegra que lo haya hecho.

Ahora tengo diecisiete años y Annie tiene veintiuno. Veo su cálida y amigable sonrisa muy de vez en cuando, pero es la misma sonrisa con que solía saludarme hace siete años. Ahora estoy en la secundaria, y cuando llego a casa de la estación del tren, veo a Alex, el pequeño que vive al final de la calle, observándome. Cuando le sonrío, corre hacia mí y me pregunta si quiero jugar. A veces invento juegos para Alex y su hermana Jenny. Algunas veces pienso en búsquedas de tesoros, y les enseño las técnicas de arte que Annie me enseñó. Veo a Alex y Jenny reír cuando juegan con sus estatuas hechas de piedra. Eso me recuerda cuando yo tenía diez años y una de las personas más importantes de mi vida era mi mejor amiga, aunque yo nunca me di cuenta de ello.

Él monstruo de los ojos verdes

Teresa Cleary

Tomado de "WWJD Stories for Teens"
(historias para adolescentes
de ¿Qué haría Jesús?)

Él momento en que mi amiga Jenny y yo llegamos al centro comercial, supe que nunca debí haber ido con ella en esa expedición de compras.

"Mi madre pensó que me divertiría más comprando mi regalo de cumpleaños contigo, así que me dio su tarjeta de crédito y me dijo que 'fuera razonable'", me dijo Jenny mientras entrábamos a la tienda de ropa.

Traté de sonreír ante el comentario de Jenny, pero pude darme cuenta de que mi esfuerzo realmente dejó qué desear. Sentía los músculos de la cara tensarse con alegría forzada mientras trataba de imaginar lo que significaba "razonable". Probablemente te comprarás tres nuevos conjuntos, en lugar de cinco, pensé, y cada uno de ellos con zapatos y demás accesorios.

Antes de poder deternerlo, el monstruo de los ojos verdes, la envidia, asomaba su horrible cabeza.

Jenny era mi mejor amiga desde que cursamos el sexto grado. Con el paso de los años habíamos hecho todo juntas, nos cortamos el cabello y lo odiamos, descubrimos a los chicos y nos quejábamos de la escuela.

Al principio, nunca me molestó que la familia de Jenny tuviera una posición económica mejor que la de mi familia. Ahora que estábamos en la secundaria, empecé a notar las cosas que Jenny tenía y yo no, un gran guardarropa lleno de ropa linda, su propio automóvil, membresías en gimnasios, y la lista podía continuar sin acabar jamás. Cada vez me volvía más envidiosa de su estilo de vida y las cosas que tenía.

No podía dejar de comparar la extravagancia de compras que hacía con los cumpleaños en mi familia. Aunque no éramos pobres, cuatro hijos en la familia representaban presupuestar aun los cumpleaños. Nos la pasábamos bien, pero mis padres ponían un límite en los regalos.

Recordé mi último cumpleaños. En nuestra familia, es tradición que el cumpleañero escoja el menú e invite a una persona especial a la celebración. Por supuesto, invité a Jenny y le pedí a mamá mi comida favorita con pastel de chocolate de postre. Fue divertido, pero nada comparado con este maratón de compras con tarjeta de crédito.

Volví al presente cuando Jenny sostenía un suéter blanco y una falda que hacía juego.

"¿Te gusta?", me preguntó.

"Es precioso", le dije. Jenny asintió y siguió buscando mientras yo caminaba por los estantes tocando la ropa. "Voy a probarme esto", Jenny se dirigió al vestidor. Después de unos pocos minutos, volvió a aparecer con el traje que recién me había mostrado. Se veía bellísima.

Suspiré. Mientras que una parte de mí quería decirle lo bien que se veía, otra parte de mí arrancó las palabras de mi boca antes de pronunciarlas. Jenny era tan bonita, que se vería bien aun si se ponía una bolsa de papas. Algunas veces dudaba de mi juicio al escoger a una mejor amiga que fuera tan linda. *Dios, ¿por qué no puedo ser yo la bonita con padres ricos?*

"Bien, Teresa, ¿qué te parece?", una pregunta que Jenny me había hecho más de una vez. "¿Te gusta?"

El traje se le veía perfecto, pero el monstruo de los ojos verdes volvió a atacar. "Realmente no", mentí, "creo que necesitas algo con más color".

"¿Tú crees?", dijo Jenny con duda. "No sé".

"Sólo confía en mí. Encontraremos algo mejor", le dije empujándola de vuelta dentro del vestidor. "No puedes comprarte lo primero que ves". En realidad, habría dicho cualquier cosa por sacar a Jenny de la tienda y alejarla de ese traje. Antes de irnos, Jenny le echó una última mirada al suéter.

Mientras caminábamos, pasamos un lugar de yogurt congelado. "Yo invito", dijo Jenny, sacando la billetera. "Esta semana tengo un poco de dinero extra".

Nunca pude resistirme al yogurt de chocolate, así que compramos un par de conos y nos sentamos a la mesa. Mientras Jenny hablaba de un millón de cosas, yo pensaba en los sentimientos que tenía hacia mi mejor amiga últimamente. Esos sentimientos no eran nada amables.

Allí sentada, empecé a ver a Jenny bajo una luz diferente. Vi lo atractiva que Jenny era, no sólo en cuanto a su personalidad, sino en todas las esferas de su vida. Aunque era ella la que era miembro de un gimnasio, me llevaba cada vez que podía. También me permitía conducir su automóvil, y me prestaba su ropa.

También me di cuenta de que éste no sería un día de compras extravagante; Jenny se iría a casa con un solo regalo. Dejé que la envidia tomara control de mi manera de ver las cosas hasta que distorsionó la imagen que tenía de mi mejor amiga.

Con ese pensamiento en mente, el monstruo de los ojos verdes parecía encogerse.

Después que terminamos el yogurt, fuimos a la siguiente tienda de ropa. "Mira ese suéter rojo", me dijo Jenny mientras pasábamos la vitrina. "Te quedaría perfecto con tu cabello oscuro,

Teresa. ¿Cómo vas con tus ahorros de tu trabajo cuidando niños? A lo mejor pronto tendrás suficiente para comprártelo".

Hacía unos pocos minutos, lo único que habría escuchado habría sido la parte de ahorrar mi dinero de niñera. Habría resentido el hecho de que todo lo que Jenny tenía que hacer era pedirle a sus padres que se lo compraran. Esta vez, en cambio, escuché más allá. Escuché a mi mejor amiga halagarme y decirme lo bien que me veo. Escuché la voz de alguien que me ama por lo que yo soy. Necesitaba hacer recíproca esa cortesía.

"Sabes, Jenny, he estado pensando", le dije dándole el brazo y dirigiéndola a la primera tienda que habíamos visitado, "esa falda y suéter blanco, realmente se te veían muy bien…"

Carrera cuesta abajo

SHAUN SWARTZ

TOMADO DE "TREASURES 2: STORIES AND ART BY STUDENTS IN OREGON"
(TESOROS 2: HISTORIAS Y ARTE POR ESTUDIANTES EN OREGÓN)

"¿Corredor listo? Diez segundos". Estaba en la puerta de inicio viendo el trayecto cubierto de neblina. Trabajé toda la temporada para este momento, y ahora estaba aquí. Había repasado el trayecto varias veces en la mente y estaba listo. Esta era mi primera carrera de la temporada, una eliminatoria muy importante del slalom en el Monte Bachelor. Siendo uno de los mejores esquiadores, se esperaba que me fuera bien.

"Cinco, cuatro, tres, dos, uno, salgan", fue la llamada, y yo salí disparado como un rayo de luz. El principio del trayecto era una parte crucial. Era el número 92 de 104 competidores y el trayecto ya tenía muchos surcos y hielo. El primer giro lo hice suavemente. Ahora que ya estaba en el trayecto, ya no me sentía nervioso. Mientras me acercaba al segundo y tercer giros, pensaba anticipadamente en la parte llamada caída de agua, que era la más difícil del trayecto. En ese lugar, a una velocidad de casi noventa kilómetros por hora, tenía que saltar un risco como de dos metros y medio de alto que ya estaba lleno de surcos y hielo, y hacer un giro en el aire de casi cuarenta y cinco grados para poder llegar a la siguiente puerta en el lugar indicado. Muchos se habían caído allí, pero yo tenía confianza.

Mientras me acercaba al lugar, repasaba los pasos en la mente. Debía contener el salto y girar a la izquierda en el aire. Realmente tenía que ser muy exacto. Cuando pasaba la puerta anterior al salto, topé la orilla en uno de los enormes surcos. Me elevé como un águila, volé sobre el risco, y aterricé en el duro hielo hecho un nudo. Seguí deslizándome locamente por la cuesta, y uno de mis esquíes se me zafó justo cuando golpeé la siguiente puerta sacándola de su lugar. Cuando finalmente me pude detener, como a unos seis metros del lugar llamado caída de agua, estaba medio aturdido. Me dolían las piernas, los brazos, el cuello, y, más que nada, estaba molesto. En ese momento, me di cuenta de lo que me había pasado. Entonces oí los gritos del personal de rescate que me preguntaban si estaba bien. Como no les contesté, bajaron esquiando a donde yo estaba para atenderme.

"¿Cómo te llamas, hijo?", me preguntó uno de ellos.

"Shaun", le respondí.

"Bueno, Shaun, ésa fue la mejor caída del día. ¿Qué pasó? ¿Fue un surco?"

"Creo que sí, agarré una orilla".

"Sí, tal vez fue eso. ¿Quieres que llame un transporte que te lleve abajo, o vas a esquiar?"

"No me siento como para esquiar", respondí atontado.

En poco tiempo llegó el transporte y me tenían asegurado con mis esquíes a mi lado.

"Bueno, Shaun, ¿adónde quieres que te lleve?", preguntó el conductor.

"Realmente agradecería si me llevara al final del trayecto", respondí.

Mientras me llevaban cuesta abajo, me pasaron muchas preguntas por la mente. ¿Qué pasó? ¿Cómo hice eso? ¿Cómo voy a explicárselo a mis amigos en casa, que esperaban que me fuera bien?

"Bueno, Shaun, hemos llegado al final del trayecto".

"Muchas gracias", les dije.

"Mejor suerte la próxima vez", me dijo al irse.

"Gracias", le respondí débilmente.

Tomé mis esquíes y fui al marcador a ver a los últimos competidores para ver cómo le había ido al resto de mi equipo. Cuando me acerqué al área de espera, Chris estaba esperando para ver su puntuación.

Chris y yo habíamos sido buenos amigos por varios años. Cuando me acababa de mudar aquí, realmente no conocía a nadie. Entonces, Chris se mudó a unas pocas cuadras de nuestra casa. Por casi cuatro veranos, todo lo que hacíamos era mantenernos en las casas de ambos. Jugábamos baloncesto, fútbol; íbamos a nadar, y habíamos estado compitiendo juntos por varios años.

Chris era realmente un buen muchacho. Era delgado y pequeño de estatura, y tenía cabello castaño y ojos azules. De hecho, él y yo nos parecíamos; las únicas diferencias eran que yo tenía ojos café y era un poco más grande que él.

"Chris, ¿cómo te sentiste cuando esquiaste?", le pregunté.

"Bastante bien, aunque creo que me pudo haber ido mejor. Qué mala suerte que te caíste. ¿Qué pasó?"

"No estoy muy seguro. Debo haber hecho algo mal", le respondí.

"Bueno, mala suerte para ti, pero buena suerte para mí que te cayeras".

"¿Por qué?"

"Porque, usualmente tú me ganas y nunca recibo ningún reconocimiento, porque tú esquías mejor que yo", me dijo.

"Se siente un poco raro no ganar. Ahora entiendo cómo te sientes tú. Sabes, siempre he dado por sentado que ganaría. No sabía lo que se siente cuando se pierde, o cuánto gozo hay realmente en ganar. Siempre pensaba que ganar no era gran cosa, sino lo mismo de siempre."

"Y si no te entusiasma, ¿por qué sigues compitiendo?"

"No, no dije que no me entusiasmara. Me encanta competir y me encanta ganar. Solamente no me había dado cuenta de que había otro aspecto de ganar", le contesté.

Justo en ese momento publicaron la puntuación de Chris. Rápidamente corrimos a ver qué lugar había obtenido ya que todos los competidores habían terminado. Cuando encontramos su nombre y descubrimos que había ganado, casi tumba el marcador de felicidad.

"¡Shaun, no puedo creerlo! ¡Esta es la primera carrera que gano en mi vida! ¡Siempre he sido el segundo o tercero!", exclamó.

Cuando vi el brillo en su mirada, la amplia sonrisa en su rostro, y esa nueva energía que era prácticamente imposible de controlar, supe que había merecido ganar. Era su turno.

"¡Muchísimas gracias por caerte! ¡Hiciste realidad mi sueño!"

"Oye, ¿para qué estamos los amigos?", le dije.

Cuando estás acostumbrado a ganar y te encuentras en la posición en que has perdido, permítete la recompensa que nunca te has permitido notar, una recompensa que puede ser mucho más satisfactoria, ¡ver el rostro del verdadero ganador!

Mi nombre es Ike

GARY PAULSEN
TOMADO DE "MY LIFE IN DOG YEARS"
(MI VIDA EN AÑOS DE PERRO)

Gran parte de mi niñez en Thief River Falls, Minnesota fue muy solitaria. Problemas familiares, una timidez devastadora y una falta total de roce social me aseguraban una vida de soledad. La cacería no solamente fue mi apertura a un mundo maravilloso, sino también mi salvación.

Desde los doce años, vivía, respiraba y existía para cazar y pescar. En días de escuela, cazaba en la mañana y en la tarde. Los viernes me iba al bosque, casi siempre por el fin de semana completo.

Aún así, no había aprendido a amar la soledad como lo hago ahora. Veía algo bello, el sol entre las hojas, un venado moviéndose en la penumbra, y quería señalárselo a alguien y decirle: "¡Mira!" Pero nunca había nadie allí.

Entonces conocí a Ike.

Era el inicio de la temporada de cacería de patos. Me levanté a las tres de la madrugada y caminé desde nuestro apartamento cuatro cuadras hacia las vías del ferrocarril, luego atravesé el puente de la Calle Ocho. Allí salté a la ribera del río y empecé a caminar junto al agua internándome en el bosque.

En la oscuridad era difícil avanzar. Después de unos dos kilómetros, me encontré en terreno pantanoso y subí sobre la ribera del río buscando suelo más sólido.

El lodo era tan resbaloso como si fuera aceite. Me caí, luego escalé nuevamente con la escopeta en una mano y asiéndome de raíces con la otra. Recíen había llegado a la parte de arriba, cuando una parte de la oscuridad se movió, se acercó a mi rostro y dijo "wuf".

No "gua", o un gruñido, sino "wuf".

Por un segundo no me moví. Luego solté el arbusto y caí para atrás por el declive. Camino abajo pensé: Es un oso.

Busqué municiones en mi bolsillo y cargué la escopeta. Estaba apuntándole cuando algo respecto a la forma de lo que me había asustado, me detuvo.

Fuera lo que fuera, permaneció sentado en la parte de arriba de la ribera mirándome. Había suficiente luz como para ver una silueta, y me di cuenta de que era un perro. Un gran perro, un perro negro, pero un perro.

Bajé el arma y me quité el lodo de los ojos. "¿Quién es tu dueño?", le pregunté. El perro no se movió y subí nuevamente a la ribera. "¡Hola!", grité hacia el bosque. "¡Tengo aquí a su perro!"

No había nadie.

"Entonces no tienes dueño". Pero los perros vagabundos suelen ser tímidos y usualmente están muertos de hambre; pero este perro, un labrador, estaba muy bien alimentado y su pelo era espeso. Se quedó a mi lado.

"Bueno", dije, "¿qué hago contigo?" En impulso agregué: "¿Quieres cazar?"

Él conocía esa palabra. Su cola golpeaba el suelo cuando la movía, y comenzó a caminar por la orilla del río.

Nunca había cazado con un perro antes, pero empecé a seguirlo. Ya había suficiente luz como para disparar, así que mantuve mi arma lista. No habíamos caminado ni cincuenta metros cuando dos patos silvestres salieron de un poco de hierba densa a la orilla del río.

Levanté la escopeta, la cargué, apunté al pato a mi mano derecha y apreté el gatillo. Hubo una explosión y el pato cayó al agua.

Cuando cazaba patos sobre el río, solía tener que esperar que la corriente trajera el animal a la orilla. Esta vez fue distinto. Con el olor a pólvora todavía en el aire, el perro dio un gran salto y se metió al agua nadando en línea recta hacia el pato. Lo tomó gentilmente en su hocico, se dio vuelta y nadó de regreso. Al subir nuevamente a la ribera, puso al pato cerca de mi pie derecho, se apartó como un metro, y se sentó.

Ya estaba totalmente claro y podía ver que el perro tenía un collar con una medalla. Lo acaricié, me lo permitió, de manera reservada, y halé su medalla a un lado para leerla.

Mi nombre es Ike.

Eso es todo lo que decía. Sin dirección, sin nombre de dueño.

"Bueno, Ike", le dije y movió la cola, "gracias por traerme el pato".

Y así fue como empezó.

El resto de la temporada, iba de cacería al río todas las mañanas. Atravesaba el puente, empezaba a caminar corriente abajo e Ike estaba allí. Para la mitad de la segunda semana, sentía como que hubiéramos estado cazando juntos toda la vida.

Cuando terminábamos de cazar, trotaba de vuelta conmigo hasta llegar al puente. Allí, se sentaba y nada que yo hiciera lo hacía ir más lejos.

Traté de esperar para ver hacia dónde iba, pero cuando era demasiado obvio que yo no iba a irme, simplemente se acostaba y dormía. Una vez, lo dejé, crucé el puente y me escondí detrás de un edificio a observar. Se quedó hasta que ya no me veía, luego se dio vuelta y trotó hacia el norte, junto a la corriente del río, dentro del bosque.

Si el resto de su vida era un misterio, al menos cuando estábamos juntos nos hicimos buenos amigos. Yo hacía un sandwich de huevo extra para él y cuando no había patos, conversábamos.

Quiero decir, yo hablaba. Ike se sentaba, con su enorme cabeza descansando en mi rodilla y sus grandes ojos café mirándome mientras lo acariciaba y le contaba mis problemas.

Los fines de semana, cuando me quedaba afuera, fabricaba un cobertizo y encendía una fogata. Ike se acomodaba a la orilla de mi frazada. Muchas mañanas, al despertar lo encontraba debajo de la frazada cubierta de escarcha, acostado a mi lado.

Parecía como que Ike siempre hubiera estado en mi vida. Luego, una mañana no estaba allí. Lo esperé muchas mañanas en el puente, pero él no llegó. Pensé que tal vez lo había atropellado un automóvil o que sus dueños se habían mudado, pero no pude saber nada de él. Lo extrañé y me dolió mucho no verlo.

Crecí y atravesé las locuras de la vida, todos esos errores que un joven puede cometer. Después crié perros, la clase que tira trineos, y corrí la carrera Iditarod a través de Alaska.

Después de mi primera carrera, volví a casa en Minnesota con diapositivas de la carrera. Una tienda de artículos deportivos en Bemidji había sido uno de mis auspiciadores, y di una exhibición de las diapositivas.

Había un hombre mayor, en una silla de ruedas y vi que cuando yo conté cómo Cookie, mi perra líder me había salvado la vida, sus ojos se le llenaron de lágrimas.

Cuando el evento terminó, el hombre se me acercó y me dio la mano.

"Yo tuve un perro como Cookie, un perro que me salvó la vida".

Le pregunté: "¿Corría usted en trineos?"

Él sacudió la cabeza. "No; yo vivía en Thief River Falls cuando me llamaron a servir en la Guerra de Corea. Tenía un perro labrador que había criado y con quien solía cazar. Me hirieron, y quedé inválido. Cuando volví del hospital, él me estaba esperando. Pasó el resto de su vida a mi lado.

El hombre continuó: "Me habría vuelto loco sin él. Me sentaba por horas y le hablaba...", se le humedecieron los ojos, "todavía lo extraño".

Lo miré, y luego miré hacia fuera a través de la ventana de la tienda. Era primavera y la nieve afuera se estaba derritiendo, pero yo veía a un chico de trece años y a un labrador sentados en la ribera del río, en pleno otoño.

Él había dicho Thief River Falls, y la Guerra de Corea. El tiempo y el lugar eran exactos.

"Su perro", le dije, "¿se llamaba Ike?"

El hombre sonrió y asintió. "Sí, pero... ¿cómo? ¿Acaso lo conociste?"

Por eso fue que Ike nunca regresó. Tenía otro trabajo.

"Sí", dije volviéndome hacia él, "era mi amigo".

Diamantes

IRENE SOLA'NGE MCCALPHIN

TOMADO DE "FRIENDS" (AMIGOS)

"¡Apenas puedo esperar! Después de nueve años, al fin terminó. ¡Libertad! ¡Dulce libertad!", gritó Raymond, casi chocando conmigo mientras subía las escaleras de la iglesia San Antonio de Padua. Le di una mirada cortante. "Vamos, Irene, tú has estado aquí tanto como yo. Estoy seguro de que estás saltando de alegría". Me puso el brazo alrededor de los hombres y sonrió. Su rostro se encendió debajo de su espeso y liso cabello castaño. Sus mejillas estaban llenas de color y sus ojos verdes brillaban. "Olvidé todo lo que lloraste ayer. ¿Todavía estás un poco sentimental, verdad? Llorar no está en tu naturaleza".

Traté de apartarme de él, pero tenía el brazo firmemente alrededor de mis hombros y cada paso que yo daba, él lo daba conmigo. Me sentía muy avergonzada aun sin sus bromas. Ayer, nuestra clase había ensayado la ceremonia de graduación, y terminé llorando de manera tan incontrolable que aún él se conmovió.

Esa noche, había llamado a otra amiga por teléfono y lloré otra vez. Después que dejé de llorar, ella se aseguró de que estuviera bien y empezó a contarme que todo el mundo la había llamado y había hecho lo mismo, y que si ella hubiera podido atravesar la línea telefónica, le habría dado una bofetada a cada uno de ellos. No puedo decir que me sorprendió, Jackie siempre era un tanto ruda.

Volví al presente cuando Raymond me soltó y empezó a correr con los otros chicos que iban camino a casa. Lamentablemente todos se detuvieron y Aquiles gritó: "Apresúrate, Medusa, antes que te dejemos". Le encantaba burlarse de mi cabello, que yo usaba en trenzas. Traté de no ruborizarme con sus palabras, pero se notó, aun con mi piel oscura.

Por los últimos dos años, yo era la única chica en el grupo de muchachos que caminaban juntos a casa después de la escuela. Tenía que escuchar todas sus tácticas para enamorar chicas y los engorrosos detalles de las peleas y las películas. Algunas veces se detenían a mitad del camino a jugar al fútbol.

Antes de alcanzarlos, escuché sollozos falsos y cuando los alcancé, los sollozos se hicieron más fuertes. Yo estaba segura de que nunca los extrañaría. El resto de la caminata, que tomó cinco minutos, pero pareció de treinta, me prometí a mi misma que no lloraría más sino hasta después de la graduación mañana por la noche. Solamente me quedaban unas cuantas horas.

Mientras esperábamos para marchar antes de la ceremonia, algunos de los chicos apostaron sobre quién lloraría primero. No hace falta decir que todos habían apostado por mí.

Durante la ceremonia, vi alrededor a algunos de mis amigos. Elizabeth, con su larga y pelirroja cabellera y sus ojos verdes que siempre me presionó a dar lo mejor de mí misma. Marcelo, que tenía el cabello oscuro que yo hubiera querido tener. Siempre estuvo allí para darme buenos consejos aún cuando la mitad del tiempo no tenía idea de lo que estaba diciendo. Thanh, con sus ojos rasgados, oscuros y traviesos que siempre vio mis errores y se aseguró de que nunca los olvidara. Me costaba mucho creer que los años se habían ido tan rápidamente; todas las bromas y lágrimas, las peleas y reconciliaciones. Tratamos de salirnos con la nuestra en todas las locuras que se nos ocurrían y casi siempre lo conseguimos.

Uno por uno fue llamado por nombre, uno por uno de mis queridos amigos se iba. Uno por uno salía a tomar el camino que Dios le indicara, aunque ahora, tendríamos que viajar solos.

Los amigos son como diamantes recién encontrados, cubiertos de polvo y carbón. Nunca reconocerás su belleza hasta que hayas removido la cubierta con las herramientas del amor y la comprensión. Allí dentro, te espera algo maravilloso y diferente. Cada uno posee un amor que va más allá del miedo, el racismo y el dolor; con una luz tan brillante que no se limita solamente a un color, sino que incluye todo el espectro de colores. Y puedo decir con todo mi corazón, que tengo riquezas más allá de toda imaginación.

Hazles saber

Mientras que nuestro mundo veloz te pide
que te conectes y envíes un correo electrónico a un amigo,
yo te pido que les hables a tus amigos,
los abraces y les hagas saber que estás allí para ellos.

– Sasha Sulkosky
Discurso de graduación, Escuela Secundaria Mountain View

Un rival amistoso

Bruce Nash y Allan Zullo

Tomado de "The Greatest Sports Stories Never Told"
(Las historias deportivas más grandes que se hayan contado)

El destacado atleta Jesse Owens miraba con incredulidad la bandera que señalaba su falta en su intento de salto largo. Era la segunda falta que le dejaba al portador del récord mundial solamente una oportunidad de calificar para las finales de las Olimpiadas de 1936.

La distancia era solamente 23 pies con 5 ½ pulgadas. El récord mundial de Owens ese mismo año era mucho mejor, 26 pies con 8 ¼ pulgadas; en las preliminares olímpicas, había fallado ya dos veces saltando una distancia menor. Una falla más, y Owens quedaría eliminado del salto largo.

Luego, justo cuando las cosas se veían peor, le vino ayuda de una fuente inesperada, ¡su rival principal! El alemán Lutz Long, era el único saltador en el campo que tenía oportunidad de vencer a Owens.

El dramático encuentro del atleta de color y el héroe alemán es una de las más grandes historias que nunca se contaron de las Olimpiadas de 1936 en Berlín, Alemania. Como todos sabemos, al dictador de Alemania, Adolfo Hitler y a sus seguidores, les desagradaban los negros y creían que los blancos eran superiores. Hitler esperaba que esas Olimpiadas en Berlín probarían que los atletas blancos eran mejores que los negros, pero Owens, un estudiante del estado de Ohio, le comprobó su error al lunático. Jesse sorprendió a Hitler y a sus seguidores nazis ganando cuatro medallas de oro en las Olimpiadas de 1936, pero sin el espíritu deportivo y desinteresado de Lutz Long, Owens jamás hubiera ganado una medalla de oro en el salto largo.

Jesse había entrado a la carrera de los 200 metros y el salto largo; aunque ambos eventos estaban programados casi al mismo tiempo. Empezó el día corriendo dos rondas de calificación para la carrera de los 200 metros. Todavía en su sudadera, Owens trotó hacia el campo central donde recién empezaba la competencia de salto.

Dado que Jesse llegó tarde, no se percató de que el salto competitivo ya había empezado. Practicó corriendo en la pista y saltó despreocupado dentro del foso. Para su sorpresa, los oficiales encargados dijeron que había fallado y contaron su salto de calentamiento como el primero de sus tres intentos de calificar.

Molesto por la decisión de los oficiales y todavía falto de aire por las carreras de 200 metros que acababa de correr, Owens trató con mucho empeño su segundo intento. Confundió el punto de salida, ¡y volvió a fallar! A Jesse le quedaba solamente un salto para calificar, o sería eliminado de su mejor evento.

Fue allí donde un alto y rubio alemán tocó a Owens en el hombro y se presentó, hablándole en inglés, como Lutz Long, el atleta alemán que ya había calificado para las finales de la tarde. El hijo de campesinos y el atleta alemán, conversaron por algunos minutos. Long, que no creía las absurdas teorías de Hitler sobre la superioridad blanca, ofreció ayudar a Jesse.

"Algo te debe estar preocupando", le dijo Long, "deberías poder calificar a ojos cerrados".

Owens le explicó que no sabía que su primer salto había contado como un intento de calificar y que, en su empeño de enmendar el error, había puesto demasiado esfuerzo y falló el punto de salida en su segundo intento.

"Ya que la distancia que necesitas calificar no es tan difícil, haz una marca más o menos a un pie de la línea de saltar", le dijo Long a Jesse. "Usa eso como tu punto de salto y así no fallarás".

Owens le agradeció a su rival e hizo una marca en el césped junto a la pista como un pie antes de la línea de salto. Minutos más tarde se elevó en su tercer y último salto, y calificó por más de dos pies.

Pero el drama aún no terminaba.

Esa tarde, el americano y el alemán se enfrentarían en un clásico duelo olímpico por conseguir la medalla de oro.

El primer salto de Owens fijó un récord olímpico de 25 pies, con 5 ½ pulgadas. Luego mejoró esa marca con un salto de 25 pies con 10 pulgadas; Long respondió al reto. En su penúltimo intento, entusiasmó a los miles de compatriotas alemanes en el estadio, al alcanzar el salto que marcó el récord de Owens.

Ahora era el turno de Jesse. El campeón americano respondió con otro salto de récord, esta vez 26 pies con 3 ¾ pulgadas. Long necesitaba un último esfuerzo. Pero al tratar de poner toda su energía en el salto, Long se pasó de la tabla y falló. ¡Jesse Owens había ganado la medalla de oro!

A Jesse aún le quedaba un salto más. Estaba tan lleno de energía que saltó 26 pies, con 5 ¼ pulgadas, rompiendo el récord olímpico por tercera vez en tres saltos.

Con un Adolfo Hitler de ceño fruncido observándolos seriamente desde su asiento, la primera persona en lanzarse a abrazar a Owens y felicitarlo fue Lutz Long.

Años más tarde, Jesse recordó ese momento en que los dos héroes olímpicos estuvieron abrazados como amigos: "Podrían derretir todas las medallas y trofeos de oro que tengo y nunca le llegarían a la sensación de amistad de veinticuatro kilates que sentí por Lutz Long en aquel momento".

Long y Owens se hicieron buenos amigos y se escribían aún durante la Segunda Guerra Mundial, cuando Lutz fue teniente del ejército alemán. En una de sus cartas desde el campo de batalla en 1943, Long le escribió a Jesse: "Espero que podamos siempre ser los buenos amigos que somos a pesar de las diferencias entre nuestros países". Fue la última carta que Owens llegó a recibir de Lutz. Apenas unos días después de escribirla, el buen amigo y rival de Jesse fue muerto en batalla.

Jesse permaneció en contacto con la familia de Long, y varios años después de la guerra, recibió una conmoverdora carta del hijo de Lutz, Peter, quien ahora tenía veintidós años. En su carta, Peter le contaba que estaba por casarse. "Aunque mi padre no puede estar aquí para ser mi caballero de honor, sé a quién el hubiera querido que tomara su lugar. Él hubiera querido que se escogiera a una persona que tanto él como toda su familia admiraran y respetaran. Él hubiera querido que tú ocuparas su lugar, y yo estoy de acuerdo".

Así que Jesse Owens voló a la boda en Alemania y orgullosamente estuvo al lado del hijo de Lutz Long, un gran amigo y atleta, que antepuso su espíritu deportivo a sus deseos de ganar.

¿Cuál es el problema?

JULIE BERENS
TOMADO DE "WWJD STORIES FOR TEENS"
(HISTORIAS PARA ADOLESCENTES DE: ¿QUÉ HARÍA JESÚS?)

Quién se hubiera imaginado que el libro "Lo que el viento se llevó" me daría una lección sobre honestidad y respeto. Eso fue exactamente lo que pasó cuando le presté esa novela a mi mejor amiga, Christine.

¡Por favor, Katie, te prometo que lo cuidaré bien", dijo Christine. "¡Por favoooor!"

Admito que estoy muy orgullosa de mi colección de libros, la cual incluye un antiguo ejemplar de "Lo que el viento se llevó", que mi abuela me regaló.

"Bueno, está bien", accedí no de muy buena gana, sabiendo que para Christine los libros no eran tan importantes. Pero como ella es mi mejor amiga, sentí que debía decirle que sí.

Durante los siguientes días, Christine me mantuvo al tanto de su progreso con la historia.

"Scarlett se acaba de casar con ese inútil de Charles!", me dijo mientras abordábamos el autobús una mañana. "¿Cómo pudo casarse con él?"

"Cuídame bien el libro", era mi comentario usual cada vez que me informaba sobre su lectura. Asentía, pero siempre me preguntaba si en realidad me habría escuchado.

Christine no solamente me mantenía al tanto de la página que iba leyendo de "Lo que el viento se llevó", sino también me ponía al tanto de los últimos acontecimientos en la escuela.

"¿Cómo te enteras de estas cosas?", le pregunté sorprendida después de escuchar su última historia sobre Patty Speers, una animadora de los partidos de fútbol. Christine se encogió de hombros. "Sólo mantengo los oídos abiertos".

Algunas veces me preguntaba por qué mi amiga cristiana estaba tan interesada en las vidas de los demás. "No le hago daño a nadie", decía Christine cuando le preguntaba sobre sus chismes. "Además, sólo se lo digo a unas pocas personas".

No estaba segura de quiénes eran esas pocas personas, o de cuántas exactamente quería decir con "unas pocas", pero, aprendí a ser indiferente ante la habladuría de Christine, aunque seguí escuchándola. Mi razonamiento era que hay peores pecados que ése, o al menos eso pensaba yo.

Unas cuantas semanas más tarde, Christine me llamó por teléfono con más noticias de Patty. "¡Está embarazada!"

"¿Qué?", podría haberlo creído de otras chicas de la escuela, pero no de Patty. "Debes haber oído mal".

"¡No!", insistío ella, "Suzanne y Marcia estaban en el baño hablando sobre Patty y sobre bebés. Las escuché claramente decir que Patty estaba esperando".

"¿Qué más dijeron?"

"No sé, no pude escuchar más".

Colgué el teléfono y decidí llamar a Robin, quien es buena amiga de Patty. Mientras marcaba, mi hermano mayor, Mark, entró a la sala familiar y a la cocina por un bocadillo. Se quedó allí parado mientras yo hablaba con Robin.

"Escuché que Patty está embarazada. ¿Crees que pueda ser cierto?"

Robin dijo que no había pasado mucho tiempo con Patty los últimos meses, porque Patty estaba tan ocupada con su nuevo novio. Hablamos un rato más y luego colgamos. Yo todavía no recibía una respuesta.

"¿Qué estás haciendo?", me preguntó Mark. Le conté de la llamada de Christine.

"¿Realmente crees que deberías estar llamando a toda esa gente?", me preguntó en esa voz de sabelotodo que tienen los hermanos mayores.

"Estoy tratando de averiguar si es cierto o no". Marqué otro número.

Mark me miró con una cara rara, pero no dijo nada más. Salió de la habitación moviendo la cabeza.

Al siguiente día cuando nos subimos al autobús escolar, Christine me dijo que le faltaban como cincuenta páginas para terminar el libro. Mis pensamientos estaban enfocados en Patty, pero eso no me detuvo de recordarle a Christine que fuera cuidadosa con mi libro.

Ese día en la escuela, los pasillos estaban llenos de murmullos sobre el embarazo de Patty. "¿Está o no está embarazada?" La pregunta parecía rebotar por las paredes y hacer eco en las escaleras. El hecho de que Patty estaba ausente, sólo le echó más leña al fuego.

Antes de la cena esa noche, Christine apareció con mi ejemplar de *Lo que el viento se llevó*. "¡Qué libro tan bueno!", me dijo mientras me lo daba.

Tan pronto lo tomé, noté que algo no estaba bien. El libro se abrió totalmente hacia atrás cuanto intenté abrirlo.

Mientras pasaba las hojas, podía ver dónde Christine había doblado las esquinas para marcar su lectura. La cubierta de atrás del libro tenía un gran anillo de café. "Papá no encontraba un aislador, así que puso su taza de café sobre el libro", explicó Christine. "Seguramente la taza estaba mojada. Lo siento mucho".

"¡Christine! ¡Te pedí un millón de veces que cuidaras este libro!", le dije. Cuando levanté la voz, Mark salió de su habitación a ver a qué se debía el alboroto. "Si no puedes cuidar las cosas de otras personas, no deberías pedirlas prestadas. Tú sabes lo mucho que mis libros significan para mí".

Christine estaba helada. "Este… lo siento", dijo y salió corriendo por la puerta, escapando de mi regaño.

"Algunas personas no cuidan las cosas ajenas", murmuré mientras iba hacia mi habitación.

"Es gracioso escucharte decir eso", comentó Mark.

"¿Y qué tiene de gracioso? Le pedí que cuidara mi libro y lo arruinó".

"Algo así como lo que ustedes dos hicieron con la reputación de Patty, cuando contaron la historia de su embarazo".

"No, permíteme un momento… Yo no regué la historia. Christine me llamó a mí, y yo sólo llamé a unas cuantas personas para averiguar si era cierto".

"Y si era eso lo que te interesaba, ¿por qué no llamaste a Patty y le preguntaste?", demandó Mark. "No, a ti no te interesaba ella lo suficiente como para hacer eso. Simplemente estabas escondiendo tu chismorreo, actuando como que si te interesara el bienestar de Patty. Pues, no engañas a nadie con eso".

Me quedé allí parada asimilando lo que Mark decía.

"Quizá necesitas pensar un poco al respecto", me dijo acercándose y tomando el libro de mi mano. "Esto es solo un objeto, un libro. Qué importa si Christine dobló algunas páginas, o si las rompió, o si derramó café sobre él. ¿Cuál es el problema? ¡Pero esparcir rumores de que alguien está embarazada y perjudicar su reputación, eso sí es algo grave!"

Mark me devolvió el libro. "Hablé con la mamá de Patty hoy, después de la escuela. Aparentemente Patty está esperando una nueva sobrina o sobrino en los próximos días. Su hermana, Tina, está esperando su segundo bebé. Aparentemente Christine no escuchó toda la conversación".

Me encerré en mi cuarto. Me tiré en la cama y abrí "Lo que el viento se llevó". Mark tenía razón. Una mancha de café en unas cuantas hojas de papel no importaban; pero la mancha de duda y sospecha que yo dejé en la reputación de Patty, sí importaban.

Cerré el libro y lo guardé nuevamente en el librero, determinada a hablarle a Patty al día siguiente. Las manchas son difíciles de quitar, no importa si son en papel, o en la vida de una persona.

La excursionista feliz

Elesha Hodge
Tomado de la revista "Campus Life"
(Vida en la universidad)

"Elesha, ¿estás muy entusiasmada con el viaje a la Florida?"

"Joseph, quita la cámara de video de mi cara".

"Oye, vamos, arena, sol, salir con los amigos..."

"Joseph, estoy hablando en serio. Me estás haciendo enojar y no quiero lastimarte".

"...tres días enteros en la bellísima ciudad de Orlando ..."

En este momento, se empaña el video. Joseph logra correr por el pasillo del autobús escolar antes que yo pudiera arrebatarle la cámara y lanzarla por la ventana. Escasamente se escapó.

Lo menos que me causaba este viaje era emoción. De hecho, yo era la única persona del coro de la escuela que votó por no ir. Habría preferido hacer un programa musical, pero, quedé a merced de la mayoría. Ellos querían probar suerte en un gran concurso de coros, patrocinado por Disney. Mi lema personal para el viaje fue: "Me pueden obligar a ir, pero no me pueden obligar a que me guste".

Ya antes había hecho un viaje en autobús de veinticuatro horas. Quiero decir, ya sabía que el viaje desde Indiana a Florida era largo; apenas empecé a captar la idea cuando los chicos del coro empezaron a sacar de sus mochilas pelucas, máscaras de gorilas, casetes con efectos de sonido ... bueno, ya pueden darse una idea. ¡Las horas pasaban a la velocidad que crecen las uñas!

Cerca de la frontera con Kentucky, traté de escapar de la pesadilla durmiéndome. Mala opción. Me desperté en Georgia toda cubierta de crema de afeitar, loción bronceadora, pasta de dientes y champú. Demasiado "madura" como para siquiera tratar de vencer a los chicos en su propio juego, me senté en silencio absoluto el resto del camino.

De alguna manera, finalmente llegamos al hotel donde nos hospedaríamos en la soleada ciudad de Orlando. Sólo que no estaba soleada. ¡De hecho, hacía mucho frío! Rápidamente descubrí lo difícil que era "arroparse" en pantalones cortos, playeras y un traje de baño. Lo mejor que pude hacer, fue taparme con todas y cada una de las prendas de vestir que tenía en mi maleta, y quedarme en mi habitación viendo una película de Agatha Christie en la televisión.

Los demás miembros del coro, pasaron la mayor parte de la noche en el pasillo. Ocasionalmente oía un grito, algún otro ruido, o el acorde de una guitarra. No sabía lo que estaban haciento allí afuera y tampoco me importaba. Estuve medio tentada a pedirle a la seguridad del hotel que los hiciera callar.

El siguiente día estaba frío y ventoso. Cuando me desperté todavía estaba oscuro. Salí de la cama y me preparé para el ensayo de canto y baile.

No podrían haber diseñado disfraces más horribles ni aunque se lo hubieran propuesto. Nilón que daba comezón, zapatos pesados y trajecitos dorados, brillantes que ni siquiera nos quedaban bien. Nuestro director pensaba que se verían "llamativos y a la moda", aunque sólo él supo qué quiso decir con eso. Para mí, nos veíamos como personajes rechazados de la serie "Viaje a las estrellas".

Cuando llegamos al lugar de la competencia de coros, inmediatamente nos llevaron a un cuarto de bandas para prepararnos y esperar. Los otros grupos estaban en alguna otra parte de ese mismo edificio, así que un grupo de chicos salieron en una misión de reconocimiento para conocerlos.

"¡Tienen toda una sección de instrumentos de viento!", dijo el guitarrista de nuestra escasa banda de cinco miembros, "¡y tres saxofones!"

"Escuché a uno de los grupos mientras ensayaban. Suenan bien".

"¡Ya estaban sonriendo y aún no llegaban siquiera al auditorio!"

"Escuché a un grupo hablar de que este concurso es mucho más pequeño del que ellos ganaron. ¿Acaso somos el único grupo que nunca ha competido?"

Sí, eramos el único grupo que nunca había competido, y se notó en nuestra actuación. Lo que pude ver desde mi puesto en la tercera línea de bailarines, fue un desastre. Los brazos volaban por todas partes, nos chocábamos y girábamos cuando ni siquiera debíamos estar dando vueltas. A una de las chicas le dieron un sombrillazo. (Sí, realmetne estábamos bailando con sombrillas de lentejuelas. Ni siquiera traten de imaginárselo.)

Luego, sorprendentemente, todo empeoró. El guitarrista se adelantó un tiempo en la mitad de nuestra tercera canción. La mitad del grupo lo siguió y la otra mitad siguió al resto de la banda. Tomó como una estrofa de palabras mal dichas y frases fuera de lugar para que todos volviéramos a lograr el ritmo.

"¡Eso estuvo fatal!", gritó mi amiga Leah cuando finalmente salimos del escenario.

Bueno, realmente fue terrible, pero no se lo dije porque no era eso lo que ella necesitaba oír. Ella necesitaba escuchar algo como: "Sí, cometimos algunos errores, pero estábamos haciendo nuestro mejor esfuerzo, además, es nuestra primera competencia. Ya nos irá mejor la próxima vez". Como si pudiera decirle eso, después de todo mi negativismo, así que no dije nada.

Cuando finalmente nos subimos al autobús y comenzamos el viaje hacia el norte, vi algo que me hizo sentir aún peor: el video. Había una videocasetera en el autobús y Joseph pensó que quizá si mostraba su obra maestra, ayudaría a que todos se olvidaran de que habíamos quedado en último lugar.

La mayor parte del video fue bastante divertido, algunas de las cosas del autobús eran graciosas. Los muchachos que se fueron a jugar en el pasillo del hotel mientras que yo veía una película parecían haberse divertido. Y en realidad, antes del caótico desastre de la tercera canción, todos se quejaron mientras volvimos a vivir *aquellos* momentos, nuestra actuación en la competencia no estuvo tan mal.

De hecho, probablemente había sido el mejor espectáculo que habíamos montado. La mayor parte de los errores que vi en el escenario, no se notaban tanto desde la audiencia. Fuimos lo suficientemente malos como para quedar en el último lugar, pero no tanto como para que necesitáramos encerrarnos en el armario cuando llegáramos a casa.

Lo que más sobresalía en la cinta, conforme la iba viendo, era *yo*. Yo fui la persona más aburrida en ese viaje. Cuando aparecía en el video, estaba reclamando o alegando. Las partes más graciosas del video nunca me incluían a mí.

Una de las últimas cosas que hicimos antes de regresar, fue entregarnos premios. "La peor excusa por llegar tarde", "El mejor recuerdo", ese tipo de cosas. Todo lo que logré ganar fue el muy sarcástico título de "La excursionista feliz", y todavía lo tengo guardado para recordarme de que nada arruina más una experiencia, que una mala actitud.

Cincinnati

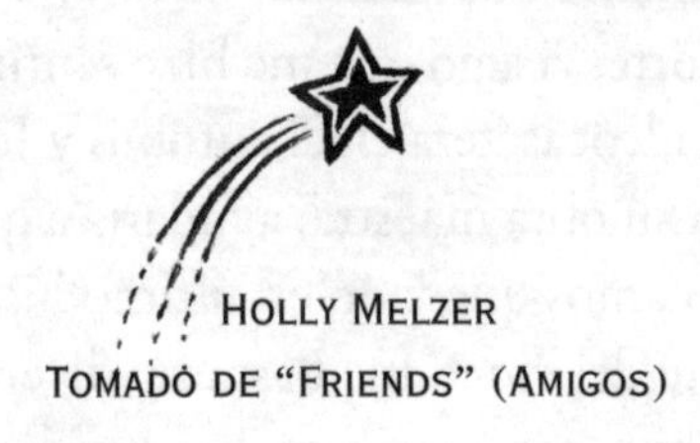

Holly Melzer

Tomado de "Friends" (Amigos)

Vanessa y yo nos conocimos en una clase de baile hace seis años y hemos sido amigas cercanas desde entonces. Ella vive en Gahanna, yo vivo en Reynoldsburg, y con nuestras vidas tan ocupadas, cada vez nos vemos menos. Solíamos tener que molestar a nuestros padres para que nos llevaran una a la casa de la otra. Anhelábamos tener licencias de conducir para poder ir solas a los lugares que queríamos. Bromeábamos sobre conducir hasta Cincinnati sólo por diversión, con el radio a todo volumen, los vidrios hasta abajo y el cabello peinado por el viento.

Al principio nos habíamos hablado un par de veces, pero yo no habría dicho que éramos amigas. Rogaba a mamá que me dejara temprano en la clase de baile y me recogiera tarde para poder ver bailar a Vanessa. Me sentaba en el suelo con la nariz presionada contra la ventana observándola con admiración. Ella podía hacer una pirueta triple en un tercio de segundo. Me mareaba sólo al verla girar por toda la habitación como un trompo que recién habían soltado. Yo adoraba a Vanessa.

Cuando estaba en el sexto grado y Vanessa en el séptimo, la escogí como mi "hermana mayor" para las líneas de baile. Me traía los mejores obsequios y me escribía pequeñas notas espontáneas para hacerme sentir mejor. Me rizaba el cabello para las competencias; me enseñó a maquillarme sin lucir como payaso, y cómo hablarles a los chicos. Escuchaba todas mis historias de mis más recientes enamoramientos, y lo más importante de todo, siempre estaba allí cuando la necesitaba.

Me cambié a sus ensayos y clases de baile para poder vernos todo el tiempo y nos hicimos buenas amigas. Yo vivía en su casa los fines de semana y las vacaciones. Compartíamos todo, la mitad de nuestra ropa estaba en el armario de la otra, y teníamos cepillos de dientes en el baño de la otra también. Nos contábamos todo y pasamos muchísimas cosas juntas.

Un día que mamá nos dejó en la casa de Vanessa, podíamos escuchar a sus padres gritar antes de abrir la puerta. Vanessa, un tanto avergonzada, se ruborizó un poco. Yo sonreí, recogí su correo y la seguí en silencio hasta su habitación donde estuvimos sentadas por horas, tratando de no prestar atención a las discusiones y los gritos ocasionales que venían de la cocina. Sus padres nunca se dieron cuenta de que habíamos llegado. Estábamos acostadas en su cama cuando su padre gritó: "¡Quiero el divorcio!", y su madre respondió: "¡Estoy de acuerdo!" Abracé a Vanessa, mientras lloraba y sus labios temblorosos en silencio repetían la palabra "divorcio".

Vanessa pasó esa noche en mi casa. Nos habíamos quedado despiertas hasta tarde, así que cuando mamá vino a mi habitación a las cinco de la mañana y encendió las luces, estábamos confundidas. Todo lo que escuché fue: "Vamos al hospital", mientras que mamá cerraba la puerta.

Finalmente, cerca de las nueve escuchamos abrirse la puerta del garaje. Vanessa apagó los dibujos animados del conejo Bugs Bunny que realmente no estábamos viendo. Nos miramos una a la otra, llenas de miedo. Mamá caminó lentamente a través de la puerta, colgó su chaqueta, y nos miró a ambas: "La abuela murió". Vanessa me abrazó, mientras que a ambas nos corrían las lágrimas por las mejillas.

Siempre hemos estado juntas cuando nos hemos necesitado más. El asistir a diferentes escuelas ha dificultado nuestra amistad, pero hemos pasado por demasiadas cosas juntas como para distanciarnos por un par de inconvenientes. Hablamos frecuentemente por teléfono y salimos los fines de semana.

Vanessa todavía tiene atenciones para conmigo para sorprenderme. El sábado me llamó a las nueve de la mañana y me dijo que venía a mi casa. Cuando llegó, salté dentro de su automóvil: "¿A dónde vamos?", grité sobre el radio a todo volumen. "A Cincinnati", respondió riendo. Sonreí mientras salíamos del garaje de mi casa con el cabello peinado por el viento.

Nuestro árbol de la amistad

Harrison Kelly

Las amistades que duran más, son aquellas que tienen raíces más profundas. Esas son las que llegan a madurar hasta convertirse en fraternales.

En el noveno grado, yo era aún el chico nuevo de la escuela con la experiencia de solamente un año. Apenas doce meses antes, mi familia se había mudado a un suburbio de Memphis llamado Frayser, un vecindario de clase media con una ética de trabajo muy alta; donde los residentes eran un tanto huraños con los de fuera.

Un día, un chico con mirada nerviosa entró a nuestro salón de clase por primera vez. Su nombre era Tom y su familia se acababa de mudar de Nashville. Era obvio que le disgustaba ser el nuevo chico en la escuela, tanto como a mí.

Ya que el escritorio detrás del mío era el único desocupado, la maestra se lo asignó a él. Conociendo de primera mano la dificultad de no conocer a nadie, yo hice el primer intento de ser amigable. Pronto nos hicimos buenos amigos, una camaradería que duró aún después de clase ese verano.

La casa de Tom quedaba a unas veinte cuadras de la mía, cerca de una urbanización grande en una de las secciones más tranquilas de la ciudad. Yo vivía en una avenida con su prisa indetenible. Aunque vivíamos lejos el uno del otro, nuestra amistad creció.

Nos encontrábamos todos los días a medio camino, bajo un roble amarillo que daba sombra al estacionamiento de la iglesia metodista local. El tamaño de ese árbol era legendario. Tenía un tronco de casi dos metros de diámetro y ramas tan grandes que parecían barriles. Lo llamábamos nuestro árbol de la amistad, ya que parecía simbolizar nuestros sentimientos.

Era una parada, un punto de reunión, un principio y un final. Durante ese primer verano, nos reuníamos allí con los guantes de béisbol para planificar nuestra mañana, y desde allí nos despedíamos todas las tardes, resueltos a volver.

Conforme pasaron los años, parecía que nuestro árbol de la amistad estaba siempre allí, viéndonos crecer, guiando nuestros caminos. Caminamos bajo sus hojas color naranja hacia los Boy Scouts en el otoño, y hablamos de chicas por primera vez mientras descansábamos a los pies de su tronco. Nos reunimos bajo sus ramas en trajes de gala la noche de nuestra graduación de la secundaria, también cuando vestimos nuestras togas y birretes al graduarnos de la universidad, y una vez más, cuando lanzamos arroz después de nuestros matrimonios. Ese árbol parecía ser tan parte de nuestras vidas como nuestra amistad en sí misma.

Crecimos, tuvimos hijos y nos mudamos lejos de Frayser. Sin embargo, seguíamos en contacto. Un día, Tom me llamó y me dijo que un rayo había caído en nuestro árbol de la amistad y lo había tumbado. Derramé una lágrima al darme cuenta de que sus raíces realmente eran las nuestras. Se había ido un símbolo de nuestra niñez juntos, algo que nunca podría reemplazarse.

Pasaron seis meses cuando leí en el periódico sobre un hombre que fabricaba lapiceros de madera que tenían significados especiales. Leí el artículo y deseé haber guardado un trozo de madera de nuestro árbol de la amistad. Pero conforme leí más del artículo, para mi sorpresa, ¡el hombre vivía en Frayser! Quizás él podría tener algún trozo de la madera de ese árbol.

En efecto, la tenía. El árbol creció en la propiedad de su antigua iglesia y él había hecho lapiceros para algunos miembros de la congregación. Cuando dijo que le quedaban dos lapiceros, casi no pude creerlo.

Me reuní a almorzar con Tom una tarde y le di uno de los lapiceros como símbolo de nuestro pasado y la promesa de continuar nuestra amistad en el futuro. Me quedé con el otro y cuando escribo, siempre me hace pensar, recordándome mis raíces.

Palabras de aliento

Cosas que he aprendido últimamente...

Las sonrisas pueden hacerte el día,
todos los niños pequeños extrañan
a sus mamás a la hora de dormir,
las estrellas brillan más cuando no hay luna,
y todo el mundo tiene algo que hace feliz su corazón.

Dios tiene un plan para tu bebé

NANCY SULLIVAN GENG

La habitación del hospital estaba envuelta en la oscuridad de la mañana, mientras que copos brillantes de la nieve de noviembre se veían caer por la ventana que estaba cerca de mi cama. Mi esposo dormía profundamente en un catre que las enfermeras le habían traído; yo tenía el sueño muy irregular.

Seguía repitiendo mentalmente la noche anterior por partes: dolores de parto…un bebé…un diagnóstico.

Luego, lentamente abrí los ojos, y recordé las palabras que el médico había pronunicado la noche anterior: "Lo siento mucho. Nuestros primeros exámenes indican que su bebé tiene síntomas y tendencias del síndrome de Down".

El reloj digital sobre mi maleta indicaba las 6:02 de la mañana, yo estaba exhausta. Quería dormir, pero un millón de preguntas sin respuesta me mantenían despierta:

¿Qué nos esperaba en el futuro?

¿Cómo se lo diríamos a nuestras familias?

¿Se podría ajustar nuestro matrimonio a los retos continuos de su incapacidad?

Luego escuché un leve sonido en la puerta. Volví la mirada y vi la silueta de una jovencita vestida con una falda plisada, y con el cabello recogido en una cola de caballo. Su silueta se dejaba ver en las sombras con la tenue luz del pasillo del hospital.

Se fue acercando y me restregué los ojos para distinguir el rostro. Era Jessy. Las dos sonreímos al mismo tiempo. Se sentó en la silla junto a mi cama y yo traje a memoria el recuerdo de una mañana de septiembre del año anterior. Yo acababa de graduarme de la universidad; era mi primer día en la carrera de maestra.

Se me había asignado el salón de clases 202 de una escuela secundaria católica. Cuando sonó el timbre por los pasillos de ladrillos antiguos, veintiuna alumnas del segundo año de secundaria entraron a mi salón a las ocho de la mañana. Antes de empezar las clases, las alumnas debían reunirse en mi salón por un período de quince minutos para recibir información importante y llevar control de asistencia.

El uniforme tradicional de las alumnas era de faldas plisadas negras y cuellos almidonados, siguiendo una tradicción octogenaria. Con sus zapatos relucientes, y sus mochilas llenas de libros, hicieron chirriar el piso al caminar hacia sus asientos.

"Soy la señora Geng", anuncié mientras escribía mi nombre en el pizarrón. Jessy, junto con las demás chicas de la clase, obervaban con atención y susurraban comentarios. Yo también estaba uniformada, pero sabía que mi traje de lana color azul marino y los zapatos de estilo profesional no escondían mi juventud e inexperiencia.

Conforme fueron pasando las mañanas, esos susurros de las sesiones iniciales, hallaron voz en las pequeñas conversaciones que empezamos a intercambiar.

Algunas veces hablábamos de las presiones académicas.

Otras veces, nuestros temas no eran tan serios, especialmente los lunes por la mañana cuando las chicas hablaban del fin de semana: juegos de baloncesto, fiestas de pijamas, bailes, vestidos y citas.

Pero de alguna manera, siempre parecía que aquellas conversaciones fluían a preguntas curiosas sobre mi vida:

¿Fue buena la universidad a la que asistí?

¿Cómo fue mi primera cita?

¿Cómo conocí a mi joven esposo?

Nunca me cansé de sus dudas o de compartir mi vida con ellas. Eran como hermanitas pequeñas ansiosas de recibir consejos. Aunque mis catedráticos universitarios me habían advertido respecto a ser "demasiado amistosa" con las alumnas, me honraba ofrecer lo poco que yo había aprendido de la vida.

El año pasó rápidamente. Luego, una mañana de primavera, en mayo, llegué a mi salón de clase con una foto de ultrasonido que había recibido del médico el día anterior.

Al revelarles que tenía tres meses de embarazo, las chicas celebraron y empezaron a hacer bromas respecto a la ropa de maternidad y las medias elásticas que tendría que usar. Acordaron unánimemente que sería una niña.

Luego, se reunieron alrededor de mi escritorio y extendí el sonograma señalándoles el corazón, la cabeza y las manos del bebé. Las chicas lo veían con gran asombro, excepto Jessy. Ella se paró detrás del grupo, con su cabello recogido en una cola de caballo que daba marco a una sonrisa sombría y unos ojos azul oscuro que mostraban tristeza.

Como el primer período de sesión terminaba con un timbre, las chicas corrieron a su primera hora de clases, pero Jessy se quedó atrás.

"Señora Geng, ¿puedo hablar con usted?", me preguntó casi en un susurro.

"Por supuesto", le dije echándole un vistazo a mi horario de clases; estaba libre hasta las nueve. Nos sentamos una al lado de la otra en escritorios contiguos.

"Yo también estoy embarazada", empezó con los ojos llenos de lágrimas, "ya tengo casi cuatro meses y no sé qué hacer. Mi madre es divorciada. Ha trabajado tan duro para pagar por mi escuela. ¿Cómo voy a decírselo? ¿Qué va a decir? ¿Qué hará si no puedo seguir en la escuela?"

Por un momento, Jessy solamente se cubrió la cara con las manos. "Está bien, Jessy ... dime más", le dije.

Cuando volvió a adquirir la compostura, habló sobre el padre del bebé, un jugador estrella de fútbol de la escuela para varones que quedaba al otro lado de la calle.

"Lo nominaron para una beca atlética. Ambos sabemos que somos demasiado jóvenes para casarnos, demasiado jóvenes para cuidar a un bebé. Tengo tanto miedo, señora Geng".

Mientras la escuchaba, no estaba segura de si podría recibir las palabras que yo me sentía obligada a decir, pero de todas formas las dije:

"Jessy", empecé, "Dios tiene un plan para tu bebé. Nunca lo olvides". Se acercaban los últimos días de clase, y Jessy y yo nos reuníamos seguido para conversar.

En ese tiempo, Jessy le dijo a su mamá sobre el embarazo, y encontró en ella compasión y apoyo, y la ayuda de una entrenadora amorosa durante las clases de alumbramiento.

Yo, a mi vez, me reuní con la directora para ver cómo la escuela podía ayudar a Jessy y a su familia durante los últimos meses de su embarazo.

Para sorpresa de Jessy, la escuela la invitó a volver a clases en el otoño, cuando su alumbramiento estaba programado para mediados de octubre, solamente seis semanas antes del mío.

Durante los meses de verano, pensé mucho en Jessy cuando me hacían regalos, y cuando salí a comprar la sillita del automóvil y las sábanas de la cuna.

Cada vez que sentía los movimientos de mi bebé, no podía evitar el visualizarla reuniéndose con trabajadores sociales, firmando papeles de adopción y leyendo biografías de los posibles padres de su bebé.

Los planes y preparativos para su alumbramiento eran muy distintos a los míos.

Cuando los primeros días de septiembre llegaron, Jessy me saludó en la puerta del salón 202. Vestida con un blusón de maternidad, pantalones vaqueros y zapatillas de tenis, agitaba su horario de clases y decía a viva voz: "¡Estoy en su clase otra vez, señora Geng!"

Tratamos de darnos un abrazo, pero fue imposible. Después de casi ocho meses de embarazo, nuestras barrigas eran del mismo tamaño. Nos reímos.

Cuatro semanas más tarde, Jessy dio a luz a una saludable niña. Después de unos cuantos días de recuperación, estaba de vuelta en el salón, nítidamente uniformada. Allí me mostró fotografías de la bebé que acababa de dar en adopción, la hija a quien había cuidado en el hospital apenas por unas horas.

"Le dije que la amaba, señora Geng..."

Ahora, con la primera nevada del invierno, yo también había dado a luz. Jessy me había venido a visitar para darle la bienvenida a mi hija con síndrome de Down.

Vino temprano en la mañana, antes de la escuela a ofrecerme las palabras que yo una vez le ofrecí:

"Señora Geng", empezó, "Dios tiene un plan para su bebé. Nunca lo olvide".

La miré y sonreí.

Durante tantos meses me sentí obligada a enseñarle a confiar en el plan de Dios. Qué bien había aprendido ella la lección, que estaba escrita en lo profundo de su corazón. Ahora, esa misma confianza era la tierna lección que ella podía enseñarme a mí.

Han pasado doce años desde ese día. Apenas unas semanas atrás, mientras esperaba que la luz me diera paso en una esquina, Jessy se detuvo a mi lado en una camioneta.

La saludé. Ella sonó la bocina.

Había un bebé en una sillita de automóvil durmiendo a su lado. Cuando la luz cambió, Jessy se fue, pero mi hija con síndrome de Down y sus dos hermanitas me preguntaron desde el asiento de atrás: "¿Quién era, mamá?"

Yo sonreí.

"Ella fue una maestra que tuve, una de las mejores que he conocido".

T.J.

Susan Cunningham Euker

Tomado de "Heart at Work"
(Corazón que siente)

Soy maestra, y no creo que realmente me hubiera dado cuenta de ello sino hasta la primavera del año pasado, aunque he estado en el salón de clase por más de veinte años.

Yo era educadora hasta que conocí a T.J. No es que haya nada de malo en ser educadora, sólo que es distinto de ser maestra. Quizá ser educadora es más académico, más confiable y adaptado a los exámenes estandarizados, más necesario para los resultados de las evaluaciones de aptitudes escolares. Enseñar, es escuchar la vocecita de tu corazón que valoriza a los niños que el mundo ha desechado. Es compartir una parte de ti misma y en el proceso recibir mucho más de lo que has dado.

T.J. me cambió ese concepto, el alto, rubio, desaliñado, antisocial, callado y olvidado T.J. Me enseñó mucho sobre lo que valoro de mí misma y cómo esos valores los transmito a mis estudiantes. Me enseñó de lo que se trata mi profesión.

Por todo un semestre, T.J. se sentó atrás en el salón, solo, aislado y a pesar de todos mis esfuerzos, no hacía nada, ni tareas, ni exámenes, ni trabajo de clase, no tenía interés en nada, y reprobó.

Este inusual jovencito me llamaba mucho la atención y después de revisar los expedientes en la oficina, descubrí la información que hizo encajar las piezas del rompecabezas. T.J. había perdido a su padre en el séptimo grado y había tenido muchísima dificultad en llevarse bien con su madre alcohólica durante sus años de adolescencia. Tenía un hermano severamente incapacitado, y habían indicios de abuso de ambos niños. La madre de T.J. se había comportado de forma tan grosera con los administradores de la escuela, que prácticamente se habían dado por vencidos en lidiar con el problema de faltar a clase de T.J.

T.J. vivía en una familia disfuncional. Así es como pude entender su baja autoestima. Su razón para irse apresuradamente a casa después de la escuela se me aclaró, entendí la causa de sus frecuentes ausencias, aun justificadas. Sentí dolor de corazón por él.

Dado que mi clase es una de las clases requeridas para graduarse de la secundaria y que por alguna razón T.J. se quería graduar, volvió el último semestre de su último año. Yo tenía mis dudas, y todo el mundo también.

Este semestre empezó con el mismo alejamiento que T.J. había tenido con anterioridad, pero un día que la clase estaba discutiendo la autoestima, algo cambió. Hice que cada uno de mis alumnos se pegara unas hojas de papel en blanco en la espalda, y les di cinco minutos para circular por el salón, encontrar a cinco personas que no conocieran muy bien y escribieran una cosa positiva que hubieran notado de esa persona en su hoja. Después de sentarnos y discutir las ansiedades y los sentimientos que experimentaron al hacer esta actividad, les pedi que escribieran un párrafo describiéndose a sí mismos como los demás los veían y respecto a cómo ellos se habían sentido sobre lo que habían leído. T.J. hizo lo que se le pidió. Yo me preguntaba por qué.

Al siguiente día, T.J. se me acercó después de clases y me preguntó si podía presentar el trabajo sobre su personalidad a la clase. Estuve de acuerdo, a pesar de que dicho trabajo había sido entregado hacía más de un mes y lo habían presentado los demás estudiantes un día cuando T.J. había faltado a clase.

Francamente, tenía curiosidad y le dije a T.J. que nos encantaría ver su trabajo.

Cuando T.J. vino a clase al día siguiente, traía consigo su cartulina, y estaba listo para hablarle a la clase. Los demás alumnos habían presentado cartulinas con fotografías, palabras y recuerdos artísticamente organizados en diferentes tamaños y formas. La cartulina de T.J. consistía solamente de una cosa: tres revistas agrícolas conectadas una a la otra con un trozo de cuerda. Explicó que su familia se dedicaba a la agricultura y que el atar los fardos de alfalfa era lo que mantenía su vida con sentido. Al final de las tres revistas, pegado con cinta adhesiva estaba el trozo de papel que T.J. había llevado puesto el día que hicimos la actividad de autoestima. En él estaban escritas las palabras "amable", "gracioso", "bonito cabello", "una buena persona" y "se preocupa por los demás".

Silenciosamente colgué la cartulina al frente del salón para que todos la vieran. Cuando T.J. volvió a su lugar ese día acercó su silla a la última fila de alumnos. Luché por contener las lágrimas y seguí con la lección del día. Sintiendo el privilegio de la presencia de T.J., quizá por primera vez, la clase permaneció en silencio. Para T.J., era el principio de un nexo.

T.J. se graduó en junio. No solamente aprobó mi clase, sino también, de alguna manera, aprobó la materia de estudios sociales del doceavo grado, el veneno de todos los graduandos. Durante la ceremonia de graduación, una sola vez sentí el gozo de esa vocecita en mi corazón, cuando T.J. recibió su diploma. Recordé el obsequio que me dio a mí y a mi clase del cuarto período ese semestre, y lloré. Cuando pasó a mi lado en la marcha al salir del auditorio esa noche, con su toga flotando en el aire, su birrete medio torcido, y sosteniendo su diploma en alto con gran celebración, sonrió, se acercó, me dio la mano y guiñó el ojo.

Supe, entonces, que yo era una maestra. T.J. me lo enseñó.

Información, por favor

Paul Villiard

Cuando yo era niño, mi familia tuvo uno de los primeros teléfonos en el vecindario. Recuerdo bien la caja pulida de roble asegurada a la pared al final de la escalera. El brillante receptor colgaba a un lado de la caja. Recuerdo hasta el número: 105. Yo era muy pequeño como para alcanzar el teléfono, pero solíamos escuchar con fascinación cuando mi madre hablaba. Una vez, me cargó para hablar con mi padre que andaba en viaje de negocios. ¡Era increíble!

Luego descubrí que en algún lugar de ese maravilloso aparato, vivía una persona fascinante, y su nombre era "Información, por favor", y que no había nada que ella no supiera. Mi madre podía pedirle el número de cualquier persona; cuando nuestro reloj se arruinaba, Información, por favor inmediatamente nos daba la hora exacta.

Mi primera experiencia personal con este genio dentro del aparato, fue un día que mi madre visitaba a una vecina. Divirtiéndome con el mueble de herramientas que había en el sótano, me lastimé un dedo con el martillo. El dolor era terrible, pero no parecía ayudarme mucho llorar porque no había nadie en casa que pudiera ofrecerme su apoyo. Caminé por la casa contemplando mi dedo que palpitaba de dolor, cuando, finalmente llegué a la escalera. ¡El teléfono! Rápidamente corrí a traer el banquillo que había en el recibidor y lo arrastré al pie del teléfono. Me subí en él, descolgué el auricular y lo sostuve en el oído. "Información, por favor", dije hacia dentro del aparato sobre mi cabeza.

Se escuchó un clic y una vocecita clara habló a mi oído: "Información".

"Me lastimé el dedo", le dije entre sollozos. Las lágrimas me fluían abundantemente ya que ahora tenía quien me escuchara.

"¿No está tu madre en casa?", me preguntó.

"Estoy solo en casa", le dije.

"¿Estás sangrando?"

"No", le contesté, "me pegué con el martillo y me duele".

"¿Puedes abrir la nevera?", me preguntó. Yo le dije que sí.

"Entonces, saca un pedacito de hielo y presiónalo contra tu dedo. Eso te calmará el dolor. Ten cuidado cuando uses el punzón para romper el hielo", me advirtió.

"Y ya no llores, vas a estar bien".

Después de eso, llamaba a Información, por favor para todo. Le pedí ayuda con mi tarea de geografía y me dijo dónde quedaba Filadelfia y el Orinoco, el romántico río que yo iba a explorar cuando fuera grande. Me ayudaba con aritmética y me dijo que la ardilla que había atrapado en el parque el día anterior, comía frutas y nueces.

Hubo una vez, en que Petey, nuestro canario, murió. Llamé a Información, por favor y le conté la triste historia. Ella escuchó, luego dijo las cosas usuales que dicen los adultos para calmar a un niño, pero yo estaba desconsolado. ¿Por qué los pájaros cantaban tan lindo y traían tanto gozo a la familia, solo para terminar como un montón de plumas, tieso y patas arriba en el piso de una jaula?

Ella debió percibir mi angustia, porque suavemente me dijo: "Paul, recuerda que siempre hay otros lugares donde cantar".

De alguna manera, me hizo sentir mejor.

Otro día estaba al teléfono. "Información", dijo la voz que para ahora era muy familiar.

"¿Cómo se deletrea almohada?", le pregunté.

"¿Almohada? A-L-M-O-H-A-D-A".

En ese momento mi hermana, que le encantaba asustarme, saltó sobre mí desde la escaleras con un agudo grito: "¡Yaaaaaaaaa!" Del susto, yo me caí del banco, halando el auricular fuera de la caja. Los dos estábamos aterrorizados. Información, por favor ya no estaba allí, y yo no estaba seguro de no haberla lastimado cuando arranqué el auricular.

Unos minutos más tarde había un hombre parado frente a la puerta. "Soy reparador de teléfonos. Estaba trabajando a dos cuadras de aquí cuando la operadora me llamó y me dijo que parecía haber algún problema con este número", dijo y tomando el auricular de mi mano me preguntó, "¿qué pasó?"

Le conté lo que había pasado.

"Bueno, podremos componerlo en un par de minutos". Abrió la caja del teléfono, descubriendo todo un laberinto de alambres y resortes, estuvo retorciendo los alambres al final del auricular, apretando las cosas con un pequeño destornillador. Presionó el gancho del que se colgaba el auricular un par de veces y luego habló al teléfono. "Hola, habla Pete. Todo bajo control en el 105. La hermana del niño lo asustó y él arrancó el cordón de la caja".

Colgó, sonrió y me dio una palmadita en la espalda y salió por la puerta principal.

Todo esto sucedió en un pequeño pueblo en el noroeste del país. Luego, cuando yo tenía nueve años nos mudamos a Boston, y extrañé muchísimo a mi mentora. Información, por favor pertenecía a aquella vieja caja de madera allá en casa, y de alguna manera nunca se me ocurrió probar el nuevo teléfono alto y delgado que estaba en una pequeña mesa en el pasillo.

Aún así, durante la adolescencia, los recuerdos de aquellas conversaciones de mi niñez, nunca me abandonaron. Frecuentemente, en momentos de duda y perplejidad recordaba la sensación de serenidad y seguridad que sentía cuando sabía que podía llamar a Información, por favor y obtener la respuesta correcta. Hoy aprecio mucho la paciencia, comprensión y amabilidad que tuvo al haber usado su tiempo con un niñito.

Unos años más tarde, cuando iba de camino a la Universidad, mi avión se detuvo en Seattle. Tenía aproximadamente media hora entre conexiones de vuelo y pasé como quince minutos hablando por teléfono con mi hermana que vivía allí ahora con su esposo e hijos. Luego, realmente sin pensar lo que estaba haciendo, marqué a la operadora de mi pueblo natal y dije: "Información, por favor".

Milagrosamente, escuché otra vez la clara vocecita que conocía tan bien: "Información".

Yo no había planeado esto, sin embargo, me escuché a mí mismo diciendo: "¿Podría decirme, por favor, cómo se deletrea la palabra 'almohada'?"

Hubo una larga pausa. Luego vino la suave respuesta. "Me imagino", dijo Información, por favor, "que ya se te habrá sanado el dedo completamente".

Me reí. "Así que realmente, todavía eres tú. Me preguntaba si tuviste alguna idea de cuánto significaste para mí todo ese tiempo".

"Yo me pregunto", respondió, "si sabes cuánto significabas tú para mí. Nunca tuve hijos, y solía esperar ansiosamente tus llamadas. Un poco tonto, ¿no?"

A mí no me pareció tonto, pero no se lo dije. En lugar de eso, le conté, cómo con el correr de los años pensaba en ella con frecuencia, y le pregunté si podía llamarla de nuevo cuando volviera a visitar a mi hermana al terminar el primer semestre en la universidad.

"Hazlo, por favor, pregunta por Sally".

"Adiós, Sally". Sonaba extraño que Información, por favor tuviera un nombre. "Si me encuentro con alguna ardilla, le diré que coma frutas y nueces".

"Hazlo", me dijo, "y espero que uno de estos días visites el Orinoco. Bueno, adiós".

Tres meses más tarde, yo estaba de vuelta en el aeropuerto de Seattle. Una voz distinta respondió: "Información", y yo pregunté por Sally.

"¿Es usted amigo de ella?"

"Sí", le dije, "un viejo amigo".

"Entonces, lamento tener que decirle esto. Sally había estado trabajando solamente medio tiempo estos últimos años porque estaba enferma. Murió hace cinco semanas". Pero antes que pudiera colgar, me dijo: "Espere un momento. ¿Dijo usted que su apellido es Villiard?

"Sí".

"Bueno, Sally dejó un mensaje para usted. Lo escribió en una nota".

"¿Qué dice?", le pregunté, casi sabiendo con anticipación lo que diría el mensaje.

"Acá está. Se lo leeré: 'Díganle que todavía pienso que siempre hay otros lugares donde cantar. Él sabrá lo que quiero decir.'"

Le agradecí y colgué. Yo sabía lo que Sally quiso decir.

La súplica de un estudiante

Melissa Ann Broeckelman

Enséñame a buscar el éxito; preséntame desafíos
Permite que la fantasía se haga realidad
Permite que mi pozo de conocimiento se haga profundo
Desarrolla esta mente que siempre tendré
Dame instrucciones y facilítame los medios
Que me permitan ver que el camino no es lo que aparenta
Dame seguridad y déjame creer
Que con perseverancia alcanzaré mis sueños
Quiero probar que ninguna meta está fuera de mi alcance
Enséñame la dirección correcta, yo la seguiré
Déjame disolver toda frontera mental
Para que pueda alcanzar la victoria
Presióname más allá de los extremos
Haz todo esto, y me ayudarás a alcanzar mis sueños

Moldeador de sueños

GUY RICE DOUD
TOMADO DE "MOLDER OF DREAMS" (MOLDEADOR DE SUEÑOS)

El señor Card fue mi maestro de sexto grado y mi primer maestro hombre. Cuando entré al salón de clase el primer día, me sorprendió ver a un hombre en el salón. Me preguntaba si sería un nuevo conserje, pero me imaginé que no, porque llevaba pantalones de vestir, una camisa blanca y corbata. Lo examiné. Se veía demasiado joven para ser maestro.

Para cuando llegué al sexto grado estaba demasiado decepcionado de la escuela y de la vida. Ya me había dado cuenta de que no era el niño más brillante del salón de clase. Era pésimo en matemáticas. Mis trabajos de arte nunca llegaban a ser exhibidos en el tablero de los anuncios. Las maestras me decían constantemente que debía mantener limpio mi escritorio, y simplemente no entendía cómo Mary, la niña que se sentaba a mi lado, podía mantener su escritorio tan organizado. Cantaba demasiado fuerte, y nadie me escogía primero cuando se formaban los equipos de fútbol. Nunca fui capitán de los equipos y concluí que nunca llegaría a ser capitán o siquiera uno de los chicos populares.

Nadie se propuso enseñarme estas cosas deliberadamente, y nadie, excepto unos cuantos compañeros de clase que se burlaban de mi tamaño, tenía el propósito de herirme, pero yo había llegado a creer que no era muy bueno.

Me preocupé cuando me di cuenta de que el señor Card iba a ser mi maestro. Los hombres no son tan buenos como las mujeres, ya sabes. Los hombres son rudos y no tienen la compasión de las mujeres. Al menos, eso pensaba yo en ese tiempo. Sentía que necesitaba a alguien que pudiera tener un poco de compasión por mí, y el señor Card no parecía ser esa persona.

Lo estudié un poco más. Caminó hacia mí, extendió su mano y me dijo: "Hola, soy el señor Card, Norm Card. Voy a ser tu maestro".

Nunca me había dado la mano un maestro antes, pero extendí la mano y respondí al saludo.

"¿Cómo te llamas?", me preguntó.

"Guy Doud".

"Ah, he oído hablar de ti".

Oh no, pensé. *Ya habrá oído que no soy bueno en matemáticas ni arte, y todas las cosas que no me gustan. Ya sabe que canto muy fuerte, y que mantengo desordenado el escritorio. Probablemente sabe de mi madre y mi padre, y de que no somos muy ricos y que nunca hemos ido a Disneylandia o ningún lugar similar.*

Pero nunca llegué a saber lo que sabía el señor Card, y nunca se lo pregunté porque me trataba como a alguien especial. Creo que nos trataba a todos igual, pero lo que más me importaba a mí, era la forma en que me trataba mí, y me hacía sentir muy bien.

Era el primer año de maestro del señor Card, recién acababa de graduarse de la universidad. Hacía cosas con nosotros que yo nunca creí que los maestros pudieran hacer. Jugaba con nosotros a la hora del recreo. Corría y gritaba como si fuera un niño grande.

Ya nos habíamos graduado a un equipo superior de fútbol, y el señor Card siempre estaba en uno de nuestros equipos. Él era el capitán. No nos dejaba escoger equipos, sino que nos dividía y tomaba turnos para jugar con ambos equipos.

Un día que estaba jugando en mi equipo dijo: "Guy, quiero que te adelantes para hacerte un pase. Vete por el lado izquierdo y cuando estés en medio, yo te haré el pase".

Me dio tanta confianza saber que el señor Card confiaba en mí lo suficiente como para hacerme un pase. Había llegado a creer que mi único papel en el fútbol era ser defensa, pero el señor Card me estaba dando la oportunidad de marcar un gol.

Me puse en la alineación conforme él me fue dando las señales. Sentía que el corazón me palpitaba en la cabeza. Quería atajar la pelota. Quería probarles a todos que no sólo los niños delgados y rápidos podían anotar tantos. Yo también podía hacerlo.

La pelota venía por el centro. Yo salí como un tren lento, pero estaba más que determinado a llegar a mi destino.

El señor Card jugaba muy bien. Algunas veces corría por lo que a mí me parecían 20 minutos mientras tratábamos de bloquearlo. Justo cuando pensabas que lo tenías, se iba con la pelota. A mi entender, esto era bueno, porque mientras él eludía a los muchachos que querían quitarle la pelota, yo empezaba a correr hacia el medio campo.

Nadie me estaba prestando mucha atención. El que yo fuera receptor nunca fue parte del plan de juego de nadie. A todos los tomó por sorpresa cuando el señor Card me hizo aquel pase.

La tiró tan fuerte que si uno de los chicos delgaditos hubiera sido el receptor, lo habría arrastrado unas tres yardas con la pelota. Llegó directamente a mis manos, me pegó en el estómago y se me estaba empezando a escapar cuando la halé hacia adentro, afirmándola contra mi estómago.

¡La agarré! Estaba tan entusiasmado que olvidé correr y Marty rápidamente me tocó. Desde entonces, he deseado que hubiéramos estado practicando en lugar de jugar un partido, porque me sentí muy orgulloso de haber atajado aquella pelota, aunque no logré la anotación.

Me gustaba el señor Card. Venía a mi escritorio a revisar mi trabajo y descansaba su mano sobre mi hombro. Su mano, aunque era pesada y me causaba mucha ansiedad, me decía: *Me agradas, Guy. Lo estás haciendo bien.*

Algunas veces yo levantaba la mano, de cierta manera esperando que quizá el señor Card se acercara a mi pupitre. Quizás su mano necesitaría un lugar donde descansar por un momento y usaría mi hombro.

Me esforcé mucho durante ese año, y él decía que yo trabajaba bien. Llegué a creer que quizá dar tu mejor esfuerzo y trabajar duro era aun más importante que ser realmente listo y conseguir que exhibieran tu trabajo de arte.

La última semana de clases, el señor Card dio premios. Fue toda una ceremonia. Parecía que podía encontrar una razón por la cual premiar a cada uno de los alumnos. Hasta llegó a dar un premio para la persona que tenía que hacer el recorrido más largo en el autobús escolar cada día. Llegó a los últimos dos premios y dijo que pensaba que estos premios eran los más importantes de todos, porque eran para el niño y la niña que habían trabajado con mayor esfuerzo durante el año.

Me pregunté quién los ganaría. Miré a mis compañeros. Me imaginé que Mary o Linda ganaría el de las niñas y aposté que quizá Sam o Danny ganaría el de los varones.

"El premio del niño que trabajó con mayor esfuerzo en la clase de sexto grado del señor Card es para Guy Doud".

Me levanté de mi pupitre. Yo era el único que tenía pupitre metálico. El señor Hill había ido a la escuela secundaria y me había traído un pupitre de acero después de que quebré el de madera. Me había columpiado en él y una de las patas se quebró.

"El chico que trabajó con mayor esfuerzo en la clase de sexto grado del señor Card", eso era lo que decía el certificado. Sólo un sencillo pedazo de papel mimeografiado, pero no pudo haber significado más para mí si hubiera sido una estatua de oro.

Mi madre se sintió igual, porque lo colgó en la puerta de la nevera hasta que yo lo quité unas tres semanas después de haber iniciado el séptimo grado.

Persiguiendo arco iris

De'Lara Khalili
Tomado de la revista "Campus Life"
(Vida en la universidad)

"¿Ya llegamos, Tata?"

"No, todavía no".

La hierba húmeda se me pegaba a los brazos mientras caminaba por un campo de hierba que me llegaba al hombro. Seguía el camino que iba abriéndome un par de grandes botas de cuero.

"¿Ya llegamos, Tata?"

"Estamos por llegar. ¿Estás cansada, Lora?"

"No". Con cuidado me arranqué un insecto de esos que aparecen en el verano que tenía en mi suéter rosado, y las ramitas que se me pegaban al cabello. "Podría caminar todo el día".

Estaba muerta de cansancio, cansada de la hierba, de las abejas zumbando en mis oídos, de subir cuestas, de todo lo que la mayoría de los niños de cinco años, como yo, odiaban. Sin embargo, nunca me cansaba de caminar con Tata, lo amaba. Traté de mirarlo, hacia arriba, pero los primeros rayos del sol de la mañana me cegaron. El sol estaba tratando de penetrar a través de la siniestra oscuridad de las nubes de la tormenta esa mañana.

"¿Ya llegamos, Tata?" Mi voz ya era quejumbrosa y aguda.

"Lora, pensé que te gustaba caminar con Tata", su rostro bronceado amenazaba una sonrisa, y sus ojos azules sonrieron.

"Me gusta, pero...", me dejé caer sobre la esponjosa hierba y empecé a llorar, "pero me quiero ir a casa, quiero mirar televisión, QUIEEERO A MAMA", lágrimas saladas me corrían por el rostro.

Él miró hacia abajo a su pequeña y sucia nieta tirada sobre la hierba, llorando y espantando las moscas con enojo y se rió. "Bueno, eso sí supera todo lo que había escuchado antes, pequeña". Se arrodilló y me tomó en sus hombros, golpeando suavemente mi espalda. "La casa está cerca, Lora".

Lloré a todo pulmón sobre su hombro mientras él seguía caminando por la hierba. Luego, se detuvo y lo escuché inhalar fuertemente.

"¡Pues mira allí, Lora!", me dijo señalando hacia el valle.

Me di la vuelta y suspiré entre sollozos. "Nunca había visto uno tan de cerca".

"Es espectacular, ¿verdad niña?"

Como explotando a través de un montón de nubes grises, un semicírculo lleno de color se arqueaba sobre la tierra con gracia y parecía descansar al fondo del valle. Yo estaba admirada. Había visto muchos arco iris antes, por supuesto, pero nunca tan de cerca. Traté de alcanzarlo como si pudiera meter mis manos entre los arcos brillantes de color y arrancar un pedazo. Salté de los hombros de Tata tumbándole el sombrero y prácticamente arrastrándolo conmigo al suelo.

"¿Adónde vas, niña?", me preguntó poniéndose el sombrero y riendo ante mi entusiasmo.

Salté y di vueltas por todas partes. "Voy a agarrar ese arco iris, Tata, quiero tocarlo".

"¿De verdad?"

"¡Sí! ¡Sí!" Corrí cuesta abajo, saltando casi sin aliento con la idea de llevarme el arco iris a casa. Reboté entre la hierba, ocasionalmente metí los pies en charcos de lodo y hasta pasé al lado de arbustos con espinas, todo, mientras trataba de imaginar cómo convencer a mamá de que me permitiera conservar el arco iris.

Corrí cada vez más rápido, gritando con emoción cuando parecía estar más a mi alcance. Pero cuando me empezó a palpitar más fuerte el corazón y me ardían los pulmones por falta de aire, me di cuenta de que el arco iris me estaba eludiendo. Las bandas de color flotaban ligeramente sobre el valle, siempre delante de mí. Yo estaba persiguiendo un arco iris, algo que simplemente estaba fuera de mi alcance.

Súbitamente dejé de correr, mis rizos de cabello negro pegados en mi cara enrojecida por la fatiga, y me volví para ver que Tata me había seguido.

"¡Se fue, Tata!" Me empezó a temblar la mandíbula y un sollozo salió de mi garganta.

"Está allá, Lora", dijo, recogiéndome en sus brazos.

"Lo sé, pero está al otro lado de la verja", mientras decía esto, le toqué la mejilla para enfatizar mi comentario y lo abracé por el cuello. "Yo quería llevarlo a casa".

"Bueno, pues a lo mejor le pertenece a alguien", me dijo bajándome gentilmente al suelo.

"¿Tú crees, Tata?", le dije halando sus pantalones para tratar de hacerlo mirar hacia abajo.

"Así lo creo, pequeñita". Sonrió, tomó mi mano suave dentro de la suya áspera y caminamos hacia el pequeño cuadro blanco que se veía al fondo del valle.

Sintiéndome mejor, empecé a dar zancadas. "¿Puedo usar tu sombrero?"

Frunció el ceño y con sus ojos azules brillando, me puso el sombrero en la cabeza. "¿Por qué? ¿También vas a manejar mi tractor?"

Moví la cabeza, riéndome mientras que el sombrero se me resbalaba sobre los ojos. Estábamos casi en casa cuando volví a mirar atrás una vez más, por debajo del gran sombrero, el arco iris que ya se desvanecía. Después de una última mirada, me volví y abracé fuertemente la pierna de Tata. "A lo mejor hay alguien que lo necesita más que yo, Tata. Sí, a lo mejor alguien lo necesita más que yo".

Quince años y cientos de caminatas matutinas más tarde, mientras atravesaba la hora de más tránsito de la ciudad, recordaba mis días de perseguir arco iris, esta vez con lágrimas. Todos llorábamos, mi madre, mi hermano y yo. Tata se estaba muriendo. Su enfermera nos dijo por teléfono que no llegaríamos a tiempo para verlo vivo, y que aún si llegáramos, él ni se daría cuenta de que estábamos allí. Yo siento como que el mundo se me está derrumbando.

Mi madre avanza por el denso tránsito, pasando carros que pitan con furia, semáforos que cambian la luz, y entre una lluvia pesada. Maneja metódica y mecánicamente, como si marcara el ritmo de los limpiaparabrisas del automóvil, y no permitiéndose pensar en nada más que llegar adonde está su padre.

En silencio, yo elevo una oración. Pido a Dios que lleguemos a tiempo, suplicándole que me permita ver a Tata una vez más, para que pueda hablarle otra vez, para que pueda decirle adiós, decirle que pronto verá a Jesús y que lo voy a extrañar, que lo amo.

Por la ventanilla, miro fijamente la lluvia gris que cae y empiezo a dudar. Todo lo que puedo pensar es *¿Qué haré si ya no lo puedo ver? ¿Qué voy a hacer?* Siento que se me desgarra el corazón y oro como desesperada, le ruego a Dios con todas mis fuerzas que me permita estar solamente una vez más con mi querido amigo.

Pido un arco iris.

Siento el corazón vacío y las palabras parecen insignificantes en este momento, así que, lo único que pido es un arco iris.

No sé exactamente por qué, pero cuando veo el panorama gris por la ventana y dentro de mi corazón, me doy cuenta de que lo único que puede hacerme sentir mejor es un arco iris. Solamente un trazo brillante de color pintado por la mano de Dios en el negro lienzo del cielo, puede calmar mi corazón. Estoy persiguiendo un arco iris otra vez.

Las horas pasan y yo miro el horizonte oscuro en busca de un triunfo de color, tratando de obtener algo que me asegure que Dios está escuchando mi clamor, pero no encuentro nada, absolutamente nada.

Por un momento, mi plegaria es de enojo, preguntándole a Dios por qué no puede concederme esta pequeña petición, esta única chispita de seguridad. Después de todo, a Noé le envió uno, ¿no? Dios le dio a Noé una señal de que nunca lo dejaría ni lo abandonaría, de que siempre estaría allí. Bueno, ¿dónde está Dios ahora?

La luz ceniza de la tarde se va convirtiendo en noche oscura, el sonido suave del motor del automóvil me arrulla y duermo. Duermo por horas hasta que oigo el golpe de una puerta y siento a mamá despertándome. Su rostro está cansado y pálido. Entramos al hospital. El olor a clínica y la blancura que ahora asocio con el dolor y la muerte, nos provocan náuseas, pero sigo caminando como entumecida.

Los médicos y las enfermeras andan por todas partes, dando órdenes. Hay pacientes por todos lados en sillas de ruedas, pero todas las imágenes y los sonidos se mezclan en un ritmo monótono, y yo centro mi atención en una puerta abierta al final del pasillo.

Mi tía se apresura a recibirnos, respondiendo a nuestra silenciosa pregunta. "Todavía está vivo, pero no se da cuenta de lo que pasa". Nos abrazamos agradecidos de por lo menos encontrarlo vivo. Caminamos juntos hacia la habitación de mi abuelo.

Pero, entonces, ella se da vuelta y se detiene, su rostro tiene un brillo repentino. "Betty, De'Lara, pasó lo más extraño hace apenas unas horas, cuando el abuelo estaba consciente. Tenía mucho dolor y dificultad para respirar", dijo apoyándose en la pared y buscando las palabras. "Parecía inquieto. Tuvimos una terrible tormenta, la lluvia y las nubes lo estaban deprimiendo, creo, pero de repente, de la nada surgió un bellísimo arco iris. Parecía como que se vertiera dentro de la habitación por la ventana, y me di cuenta de que distrajo la mente de Tata, al menos por un momento, de su dolor. De alguna manera lo alivió, y, finalmente se durmió. Fue como si lo hubieran mandado directamente del cielo, totalmente increíble. Nunca en mi vida había visto algo similar".

Yo sí, oh, yo sí, hace como quince años. Entro a la habitación y veo a Tata envuelto en un nudo de tubos, peleando por cada aliento de vida, pero tengo cierta paz sobre la situación, también respecto del arco iris que pensé que nunca recibí. Dios siempre tuvo todo bajo control y Él sabía que alguien lo necesitaba más que yo.

Aunque las enfermeras y los médicos nos aseguraron que no pasaría la noche, Tata estaba mejor al día siguiente. Dios me permitió pasar ese sábado completo con él, un sábado maravilloso de recuerdos que todos habíamos hecho juntos. Nos reímos y bromeamos, aunque ocasionalmente dejé la habitación para llorar sintiendo como si mi vida terminara con la de él, pero luego regresaba unos minutos más tarde a seguir riendo.

Cuando llegó el momento de partir, envolví mis brazos alrededor de su cuello como lo había hecho por veinte años, diciéndole cuánto lo amaba. Débilmente, me abrazó también y susurró con dificultad: "Yo también te amo, Lora". Esa era la manera en la que él expresaba su amor siempre. Me quedé abrazada a él por un largo rato, sabiendo de alguna manera que éste sería nuestro último abrazo de este lado del cielo.

Mi abuelo murió una semana después.

Han pasado ocho meses de la muerte de mi gentil amigo y todavía siento como una puñalada de dolor cada vez que recuerdo el tiempo que pasamos juntos, las caminatas matutinas, los juegos de mesa nocturnos, las sesiones de chistes que podían durar horas y horas.

Cuando mi corazón está entenebrecido por extrañarlo tanto, puedo ver el asombro en sus ojos, aquella vez que vimos el arco iris y recuerdo que Dios siempre está ahí.

Sé que veré a Tata algún día y que tomaremos largas caminatas matutinas y perseguiremos brillantes arco iris otra vez, y esta vez, considerando dónde estaremos, apuesto que hasta agarraremos uno.

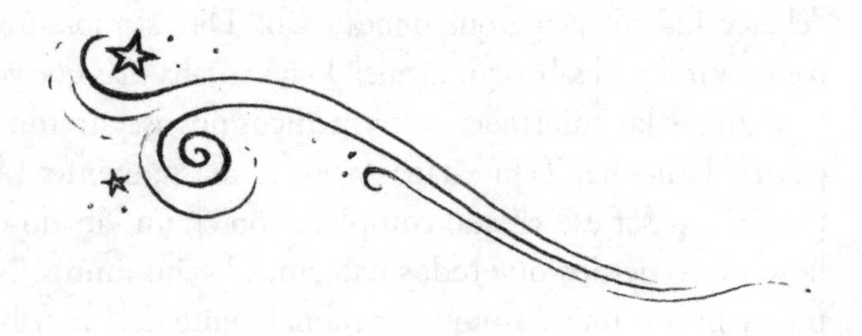

El éxito no se persigue,
lo atrae la persona en la que te conviertes.

– Autor desconocido

El jardín de la abuela

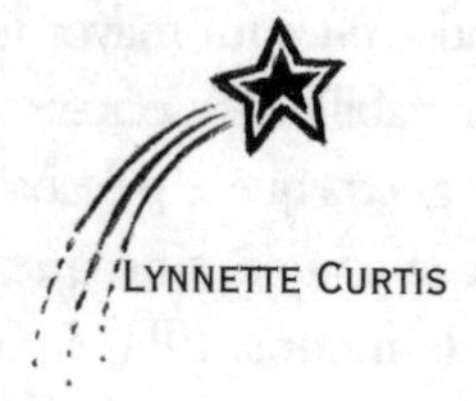

LYNNETTE CURTIS

Cada año, mi abuela, Inez, plantaba tulipanes en su jardín y añoraba su belleza de primavera con la anticipación de un niño. Bajo su amoroso cuidado, brotaban fielmente cada abril y ella nunca se decepcionaba; siempre decía que las flores que realmente decoraban su vida, eran sus nietos.

Yo no iba a seguirle el juego.

Me mandaron a casa de mi abuela a los dieciséis años. Mis padres vivían fuera del país y yo era una jovencita muy problemática, llena de falsa sabiduría y furia por su inhabilidad de lidiar conmigo o de entenderme. Una adolescente infeliz, irrespetuosa, que estaba lista para dejar la escuela.

Mi abuela era una mujer pequeña, sus propios hijos y casi toda su descendencia la habían dejado en estatura; poseía una belleza clásica, a la antigua. Su cabello era oscuro y siempre lo llevaba elegantemente arreglado, y sus ojos eran de un azul muy claro, vibrante y brillantes de energía e intensidad. La gobernaba una extraordinaria lealtad a la familia, amaba tan profunda y sinceramente como lo hace un niño. Con todo, yo pensaba que la abuela sería más fácil de pasar por alto que mis padres.

Me mudé a su humilde granja, y en silencio, deambulaba por allí con la cabeza y la mirada bajas, como un perrito golpeado. Había perdido la fe en la gente y me encerré en un capullo de apatía total. Me rehusaba a permitirle la entrada a otra alma en mi mundo privado, pues mi mayor temor era que alguien llegara a descubrir mis vulnerabilidades secretas. Estaba convencida de que la vida era una amarga guerra que se peleaba mejor en la soledad.

No esperaba nada de la abuela, sino que me dejara en paz, y no planeaba aceptar nada menos. Ella, sin embargo, no se dio por vencida tan fácilmente.

Empezó la escuela y yo iba a clase ocasionalmente, los demás días los pasaba en pajamas, viendo la televisión en mi dormitorio. Sin entender el mensaje, la abuela entraba cada mañana a mi habitación como un rayo de sol muy mal recibido.

"¡Buenos días!", decía animadamente mientras abría las cortinas de la ventana. Yo me ponía la sábana sobre la cabeza y hacía como que no la veía.

Cuando yo salía de la habitación, me atacaba con una serie de bien intencionadas preguntas sobre mi salud, mis pensamientos y mi percepción general del mundo. Yo le contestaba con monosílabos; ella no se desanimaba. De hecho, actuaba como si mis gruñidos fueran fascinantes; me escuchaba con tanta solemnidad e interés, como si estuviéramos envueltas en una conversación intensa en la que yo hubiera revelado un secreto íntimo. En esas extrañas ocasiones en las que yo ofrecía una respuesta de más de una palabra, ella juntaba sus manos y sonreía llena de gozo, como si le hubiera dado un regalo grandioso.

Al principio me preguntaba si no se daba cuenta. Sin embargo, aunque no era una mujer educada, yo podía intuir que tenía el sentido común que viene con la inteligencia natural. Se casó a los trece años, durante la época de la depresión económica, y aprendió lo que tenía que aprender de la vida al criar a cinco niños durante tiempos muy difíciles. A veces cocinaba en restaurantes, y, finalmente administró su propio restaurante.

De manera que no me debió haber sorprendido cuando insistió en que aprendiera a hacer pan. Amasaba tan mal el pan, que la abuela tenía que terminar de hacerlo. Ella, sin embargo, no me permitía salir de la cocina hasta que el pan estaba listo. Fue durante esos momentos, en que su atención no estaba enfocada en mí, y que yo me quedaba mirando su jardín de flores desde la ventana de la cocina, cuando le empecé a hablar. Ella escuchaba con tanta disposición, que a veces me sentía un poco avergonzada.

Lentamente, conforme fui dándome cuenta de que el interés de la abuela hacia mí no se había acabado con la novedad de mi presencia, me fui abriendo a ella cada vez más. Secreta, pero fervientemente, empecé a esperar nuestras charlas con entusiasmo.

Cuando las palabras finalmente me llegaron, no se detenían. Empecé a ir a la escuela con regularidad y corría a casa cada tarde para encontrarla sentada en su silla de siempre, sonriendo y esperando escuchar un detallado informe de cada minuto de mi día.

Un día, en mi segundo año, entré corriendo y le dije: "¡Me nombraron editora del periódico de la escuela!"

Se quedó sin aliento y aplaudió con gran emoción. Más conmovida de lo que nunca pude estar, ella tomó mis manos en las suyas y las apretó con fuerza. Vi que sus ojos brillaban con más intensidad cuando me dijo: "¡Me agradas mucho como persona, y estoy muy orgullosa de ti!"

Sus palabras me golpearon con tal fuerza que no pude responder. Aquellas palabras hicieron mucho más por mí, que un millón de "te amo". Sabía que su amor era incondicional, pero su amistad y su orgullo eran cosas que había que ganarse. Recibir ambas de esta increíble mujer, me hizo empezar a preguntarme si de hecho había dentro de mí misma algo que a la gente le pudiera gustar. Despertó en mí un deseo de descubrir mi propio potencial y una razón para permitirle a otros conocer mis vulnerabilidades.

Ese día decidí tratar de vivir como ella lo hacía, con energía e intensidad. Súbitamente me embargó un apetito de explorar el mundo, mi mente y los corazones de los demás, un apetito de amar tan libre e incondicionalmente como ella lo había hecho, y me di cuenta de que la amaba, no porque fuera mi abuela, sino porque era una bellísima persona que me había enseñado lo que sabía de amarse a sí misma y a los demás.

Mi abuela falleció en la primavera, casi dos años después de que fui a vivir con ella, y dos meses antes de graduarme de la secundaria.

Murió rodeada de sus hijos y sus nietos, que sostuvieron sus manos y recordaron con ella una vida llena de amor y felicidad. Antes de irse de este mundo, cada uno de nosotros se acercó a su cama, con los rostros y los ojos humedecidos, la besamos tiernamente. Cuando llegó mi turno, la besé suavemente en la mejilla, tomé su mano y susurré: "¡Me agradas mucho como persona, abuela, y estoy muy orgullosa de ti!"

Ahora que me preparo para graduarme de la universidad, pienso con frecuencia en las palabras de mi abuela y desearía que todavía se sintiera orgullosa de mí. Me maravillo ante la amabilidad y la paciencia con que me ayudó a emerger de una niñez difícil a una juventud llena de paz. La visualizo en la primavera, como los tulipanes en su jardín, y nosotros, su descendencia, todavía brotamos con un entusiasmo que sólo lo iguala el que ella tuvo. Yo sigo trabajando para asegurarme de que nunca se desilusione.

Rayo de sol

Aquellos que llevan un rayo de sol a las vidas de otros,
no pueden mantenerlo lejos de sus propias vidas.

—Alexander Chalmbers

Desde Chicago, con amor

MARVIN J. WOLF
CONDENSADO DE LA REVISTA "CHICAGO TRIBUNE"

Cuando tenía nueve años, necesitaba dinero, así que le pedí al señor Miceli, el encargado del periódico en mi vecindario de Chicago, que me asignara una ruta de distribución de periódicos después de la escuela. Dijo que si yo tenía bicicleta, él me daría la ruta.

Mi padre tenía cuatro trabajos en esa época. Hacía letreros de neón en una tienda de metales durante el día, repartía flores hasta las ocho de la noche, manejaba un taxi hasta la medianoche, y los fines de semana vendía seguros de puerta en puerta. Me compró una bicicleta usada, pero justo después de hacerlo, lo hospitalizaron por neumonía y no pudo enseñarme a andar en bicileta. El señor Miceli, por otro lado, no me había preguntado si sabía andar en bicicleta; simplemente pidió ver la bicicleta, así que se la llevé al garaje, se la mostré y me dio el trabajo.

Al principio, colgué mi saco de entrega lleno de periódicos enrollados sobre el manubrio y caminaba por las aceras al lado de la bicicleta; empujar una bicicleta con una carga de periódicos, parecía un poco torpe. Después de algunos días, dejé la bicicleta en casa y tomé prestado el carrito de compras de dos ruedas que tenía mamá.

Repartir periódicos desde una bicicleta, tiene su arte. Solamente tienes una oportunidad de tirar cada periódico y si no llega a la puerta o la entrada de la casa, no era gran cosa. Yo dejaba el carrito de mamá en la acera y llevaba cada periódico a su destino apropiado. Si era en una entrada que estaba en un segundo piso y fallaba la primera vez que lo tiraba, tomaba el periódico y lo volvía a tirar. Los domingos, que los periódicos eran grandes y pesados, cargaba cada uno por las escaleras. Si llovía, dejaba los periódicos dentro de los pórticos o, en los edificios de apartamentos, en los vestíbulos. Durante la temporada de lluvia y de nieve, ponía el viejo abrigo de papá sobre el carrito para mantener secos los periódicos.

Me tomaba más tiempo entregar mis periódicos usando el carrito que si lo hubiera hecho en bicicleta, pero no me importaba. Llegué a conocer a todos en el vecindario, gente trabajadora de ascendencia italiana, alemana o polaca que siempre eran muy amables conmigo. Si veía algo interesante mientras hacía mi recorrido, algo como un perro con cachorritos, o un arco iris de aceite en el asfalto mojado, podía detenerme a mirarlos por un rato.

Cuando papá volvió del hospital, resumió su trabajo diurno, pero estaba demasiado débil para continuar con los otros trabajos, y tuvo que renunciar a ellos. Ahora necesitábamos cada centavo que ganábamos para pagar cuentas, así que vendimos mi bicicleta. Considerando que aún no había aprendido a andar en bicicleta, no tuve objeción.

El señor Miceli debió haber sabido que no usaba una bicicleta, pero no me dijo nunca nada. De hecho, rara vez nos hablaba a los chicos, a menos que fuera para regañarnos por no haber entregado un periódico de algún cliente, o por dejar el periódico en un charco.

Durante ocho meses, mi ruta aumentó de treinta y seis suscriptores a cincuenta y nueve. Más que nada, era porque los clientes me recomendaban a sus vecinos que decían que querían periódicos. Algunas veces la gente me detenía en la calle para pedirme que los agregara a mi lista.

Ganaba un centavo por periódico, de lunes a sábado, y cinco centavos por periódico los domingos. Cobraba cada jueves por la tarde, y como casi todos los clientes me daban una moneda de cinco o de diez centavos extra, pronto recibí en propinas casi tanto como lo que me pagaba el señor Miceli. Eso era bueno, porque papá todavía no podía trabajar mucho y yo le daba casi todo mi dinero a mamá.

La tarde del jueves, antes de Navidad en el año 1951, toqué el timbre de mi primer cliente. Aunque las luces estaban encendidas, nadie respondió, así que seguí a la siguiente casa. No hubo respuesta. Lo mismo sucedió en la casa de la siguiente familia y en la de la siguiente. Pronto había tocado ya las puertas de casi todos mis suscriptores, nadie parecía estar en casa.

Estaba preocupado, tenía que pagar mis periódicos cada viernes y ya que casi era Navidad, nunca pensé que todo el mundo andaría de compras.

Me alegró mucho llegar a la casa de la familia Gordon, donde oí música y voces. Toqué el timbre. Instantáneamente se abrió la puerta y el señor Gordon casi me arrastró adentro.

Amontonados en su sala estaban casi todos mis cincuenta y nueve suscriptores. En el centro del cuarto había una bicicleta marca Schwinn. Era de color rojo y tenía una luz que se encendía con un generador, y un timbre. Una bolsa de lona colgaba del manubrio y estaba llena de coloridos sobres.

"Esto es para ti", me dijo la señora Gordon. "todos colaboramos".

Los sobres tenían tarjetas Navideñas junto con las cuotas semanales de suscripción. La mayoría incluían también una generosa propina. Yo estaba anonadado. No sabía qué decir. Finalmente una de las mujeres pidió silencio y gentilmente me llevó al centro de la sala. "Eres el mejor repartidor de periódicos que hemos tenido", dijo, "no ha habido un solo día en que nos haya faltado un periódico o que haya llegado tarde, tampoco ha habido un día en que los periódicos se hayan mojado. Todos te hemos visto en la lluvia y la nieve con ese carrito de compras, y pensamos que tenías que tener una bicicleta".

Todo lo que pude decir, fue "gracias", y lo dije una y otra vez.

Cuando llegué a casa, conté más de cien dólares en propinas, una hazaña que me convirtió en el héroe de la familia y trajo a nuestro hogar una maravillosa temporada navideña.

Mis suscriptores deben haber llamado al señor Miceli, porque cuando llegué a su garaje al día siguiente a recoger mis periódicos, me estaba esperando afuera. "Trae tu bicicleta mañana a las diez, y te enseñaré a usarla", me dijo, y lo hice.

Cuando ya me empecé a sentir cómodo en la bicicleta, el señor Miceli me pidió que entregara una segunda ruta de cuarenta y dos periódicos. Entregar las dos rutas usando mi bicicleta nueva era más rápido que entregar una usando el carrito de compras de mamá.

Pero cuando llovía, me bajaba de la bicicleta y llevaba cada periódico a un lugar seco. Si fallaba algún tiro, me detenía, paraba la bicicleta, y lo tiraba de nuevo.

Me uní al ejército después de terminar la secundaria, y le di mi Schwinn a mi hermano menor, Ted. No puedo recordar qué pasó con ella, pero mis suscriptores me dieron otro obsequio: una brillante lección de sentirse orgulloso aun por el trabajo más humilde. Trato de usar este obsequio de Navidad tan frecuentemente como recuerdo a la amable gente de Chicago que me lo dio.

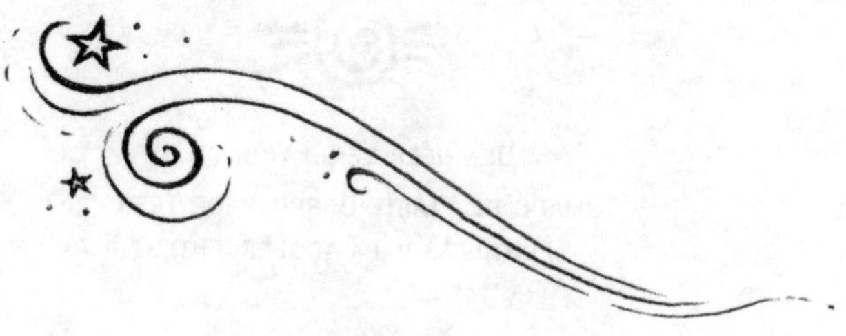

Una llamada telefónica

Si fueras a morir pronto y sólo
pudieras hacer una llamada telefónica,
¿a quién llamarías y qué le dirías?
¿y qué estás esperando?
—Stephen Levine

Recogiendo los pedazos

JENNIFER LEIGH YOUNGS
TOMADO DE "TASTE BERRIES FOR TEENS"
(FRUTILLAS PARA ADOLESCENTES)

Cuando estaba en el noveno grado, un chico, del que yo estaba segura estar enamorada, empezó a salir con mi mejor amiga. Así de simple. Un día, él caminaba conmigo a mi casillero y, al día siguiente, caminaba con mi mejor amiga a su casillero. "¡Ya no saldremos juntos!", anunció, y en el mismo aliento agregó, "ahora saldré con Tammy".

No sabía cómo reaccionar ante esa situación. No sabía qué pensar o qué sentir. ¿Debía enojarme con él? ¿Enojarme con mi mejor amiga? ¿Cómo le explicaría esto a mis amigos?

De una cosa sí estaba segura: me dolía muchísimo. Nadie, ni aun mis amigos, o mis hermanos o mis padres, sabían cuán profundamente me dolía. No quería ir a la escuela, no quería ir a la práctica de fútbol. No quería hacer nada, sólo quería estar sola. Tampoco quería hablar de esto con nadie, y menos aún con mis padres.

No que eso los detuviera de preguntar. Notando que estaba molesta con todos y por todo, mamá me preguntó: "¿Quisieras hablar conmigo sobre lo que te está molestando?"

"¡No!", lloré.

"Hablar puede hacer qué te sientas mejor", me recordó mamá.

"Es sólo algo de mi tonta mejor amiga, ya se me pasará", le dije, esperando no tener qué dar más explicaciones.

Ella no volvió a preguntar, sin duda, asumió que le diría todo al respecto cuando estuviera lista. Al mismo tiempo, mis padres se mostraban más amables y trataban de darme todo el espacio que necesitaba. Un par de veces, por ejemplo, me permitieron cenar en mi habitación en lugar de hacerlo en el comedor.

Después de más o menos una semana de todavía estar llorosa, mi madre volvió a tratar de hablar sobre el asunto. "Sé que estás sufriendo", me dijo, "y creo que deberíamos hablar".

"Oh, mamá", lloré, "¡me duele mucho como para hablar!"

"Sí, hija, puedo ver que te duele", dijo calmándome.

"¿Por qué duele tanto?", le pregunté.

"El dolor es la forma en que Dios te dice que tu corazón está quebrantado".

"Yo no necesito que Dios me diga que mi corazón está quebrantado", dije llorando, "necesito que lo componga".

"Bueno", me consoló mi madre con ternura, "entonces dale todos los pedazos a Él. Dios no puede componer tu corazón quebrantado, si no le das todos los pedazos".

Siempre recordaré esas bellas palabras: "Dios no puede componer un corazón quebrantado si no le das a Él todos los pedazos".

El ganador

Sharon Jaynes

Era la primera competencia de natación del año para nuestro recién formado equipo acuático de la secundaria. La atmósfera durante las tres horas de camino en el autobús era eléctrica con anticipación, como la banda de los cuarenta y ocho adolescentes que no pensaban más que en la victoria. Sin embargo, nuestra electricidad se convirtió en sobresalto cuando nuestros pequeños competidores se bajaron en fila del autobús y vieron con incredulidad a los musculosos oponentes que parecían dioses griegos.

El entrenador revisó el programa. "Seguramente ha habido un error", pensó, pero el programa sólo confirmó que sí estábamos en el lugar y la hora correctos.

Los dos equipos se formaron en línea a la orilla de la piscina. Sonaron los silbatos, empezaron las carreras y perdimos las carreras. A la mitad de la competencia, el entrenador Huey se dio cuenta de que no tenía a ningún participante para uno de los eventos.

"Muy bien, equipo, ¿quién quiere nadar los 500 metros estilo libre?", preguntó.

Varias manos se levantaron, incluyendo la de Justin Rigsbee. "¡Yo competiré, entrenador!" El entrenador miró hacia abajo la pecosa y joven cara y dijo: "Justin, esta carrera son veinte vueltas a la piscina. Sólo te he visto hacer ocho".

"Oh, yo puedo hacerlo, entrenador, déjeme intentarlo. ¿Qué tanto pueden ser doce vueltas más?"

El entrenador Huey accedió, no muy convencido. "Después de todo", pensó, "no es ganar, sino competir, lo que forma el carácter".

El silbato sonó y los oponentes salieron como torpedos dentro del agua y terminaron la carrera en escasos cuatro minutos con cincuenta segundos. Los ganadores se reunieron a las orillas a socializar mientras que nuestro grupo batallaba por terminar. Después de otros cuatro largos minutos, los últimos miembros exhaustos de nuestro equipo, salieron del agua. Los últimos, excepto Justin.

Justin parecía respirar con dificultad a la vez que sus manos golpeaban contra el agua y la quitaban del camino para impulsar su delgado cuerpo hacia delante. Parecía que se iba a hundir en cualquier momento, pero a la vez, parecía que había algo que lo seguía impulsando a continuar.

"¿Por qué el entrenador no detiene a ese niño?", se decían los padres de los miembros del equipo. "Parece como si se fuera a ahogar, y la carrera, ya la ganaron hace más de cuatro minutos".

De lo que los padres no se habían dado cuenta, era de que la verdadera carrera, la carrera del niño que se convierte en hombre, apenas empezaba.

El entrenador caminó hacia el joven nadador, se arrodilló y habló en voz baja.

Aliviados, los padres pensaron: *¡Ah, finalmente va a sacar a ese chico del agua, antes de que se muera*!

Para sorpresa de ellos, sin embargo, el entrenador se levantó del concreto, dio un paso atrás y el jovencito siguió nadando.

Un compañero del equipo, inspirado por su compañero fue hacia el lado de la piscina y caminó el carril conforme Justin seguía adelante. "¡Vamos Justin, tú puede lograrlo! ¡Sigue adelante, no te des por vencido!"

A éste se unió otro, y otro y otro, hasta que el equipo completo estaba caminando a la orilla de la piscina apoyando y animando a su compañero a terminar la carrera.

El equipo opositor se dio cuenta de lo que estaba pasando y se unieron a los animadores. El coro contagioso de los estudiantes hizo que el auditorio sintiera un escalofrío, y pronto los padres estaban de pie, gritando, animando y orando. El auditorio pulsaba con energía y emoción, a la vez que compañeros de equipo y oponentes, juntos, inspiraban de valor a un pequeño nadador.

Doce largos minutos después que había sonado el silbato de salida, el exhausto, pero sonriente Justin Rigsbee nadó su última vuelta y salió de la piscina. La multitud había aplaudido al primer nadador que llegó a la meta, pero la ovación que le dieron de pie a Justin ese día, fue prueba de que la mayor victoria fue suya, solamente por haber terminado la carrera.

El Chevy rojo

Bob Carlisle
Tomado de "Son's: A Father's Love"
(Hijos: un amor de padre)

A mi padre le gustaban mucho los automóviles. Los afinaba, los pulía y conocía cada sonido, olor y hasta la idiosincrasia de cada uno de los automóviles que había tenido. También era muy selectivo respecto a quién los conducía, de manera que, cuando obtuve mi licencia de conducir a los dieciséis años de edad, me preocupaba un poco la responsabilidad de irme de la casa en uno de sus amados vehículos. Tenía un pequeño camión Chevy rojo, bellísimo, una gran Suburban blanca, y un Mustang convertible con un motor V-8. Cada uno de ellos estaba en condiciones óptimas. También tenía un carácter muy fuerte y muy poca paciencia con los descuidos, especialmente si sus hijos los habían cometido.

Una tarde, me envió al pueblo en el Chevy con el encargo de traer de vuelta una lista de cosas que necesitaba para hacer algunos trabajos en la casa. No había pasado mucho tiempo desde que tenía mi licencia, así, que todavía era novedad que me vieran manejando por allí, y era un orgullo ser visto en el Chevy rojo de papá. Cuidadosamente maniobré hacia el centro del pueblo, respetando cada señal de tránsito y tratando de manejar a la defensiva como él me había dicho que lo hiciera. El solo pensamiento de chocar uno de los automóviles de papá, era suficiente para que yo fuera el conductor más cuidadoso del pueblo.

Pasé una luz verde e iba a la mitad de una de las intersecciones más ocupadas cuando un hombre mayor, que de alguna manera no había visto la luz roja, se ensartó en el lado del pasajero del Chevy. Frené de golpe, patiné en la carretera y giré contra la orilla de una acera, y el vehículo se volcó sobre un costado.

Estaba un poco mareado al principio, la cara me sangraba por un par de cortaduras, pero, gracias al cinturón de seguridad, no me lastimé de gravedad. Estaba preocupado por el peligro de que se incendiara, el motor estaba apagado, y pronto oí el ruido de las sirenas. Había empezado a preguntarme cuánto tiempo más estaría atrapado dentro cuando dos bomberos me ayudaron a salir y pronto estaba sentado en la acera, sosteniéndome la cabeza entre las manos, mientras gotas de sangre me corrían por la cara y manchaban mi camisa.

Fue en ese momento cuando realmente vi el pequeño camión rojo de papá. Estaba rayado, abollado y arruinado. De hecho, me sorprendió haber salido de él en una pieza, y a la vez, de cierta manera deseaba no haber salido tan bien, porque de repente recordé que pronto tendría que enfrentar a papá con muy malas noticias sobre uno de sus orgullos más grandes.

Vivíamos en un pueblo pequeño y mucha de la gente que vio el accidente me conocía. Alguien debió haber llamado a papá inmediatamente, porque no pasó mucho tiempo cuando lo vi correr hacia mí. Cerré los ojos porque no quería verle la cara.

"Papá, lo siento tanto..."

"Terry, ¿estás bien?" La voz de papá no sonaba para nada como yo imaginaba que sonaría. Cuando miré hacia arriba, él estaba arrodillado a mi lado en la acera, me levantó gentilmente la cara y examinó mis heridas. "¿Te duele mucho?"

"Yo estoy bien, pero siento mucho lo de tu vehículo".

"Olvídate del camión, Terry, es solamente una máquina. Me preocupas tú, no el Chevy. ¿Puedes levantarte? ¿Puedes caminar? Te llevaré al hospital, a menos que creas que necesitas una ambulancia".

Sacudí la cabeza. "No necesito una ambulancia. Estoy bien".

Papá cuidadosamente puso sus manos bajo mis brazos y me puso de pie. Lo miré con incredulidad y estaba sorprendido de ver que su rostro estaba lleno de compasión y preocupación. "¿Puedes llegar al automóvil?", su voz sonaba temerosa.

"Estoy bien, papá. ¿Por qué no nos vamos a casa? No necesito ir al hospital".

Ambos cedimos un poco y fuimos al médico de la familia, quien me limpió las heridas, me curó y me envió a casa. No recuerdo cuándo se llevaron el camión rojo, o qué hice el resto de la noche, o cuánto tiempo estuve en reposo. Todo lo que sé, es que por primera vez en mi vida, entendí que mi padre me amaba. No me había dado cuenta de ello antes, pero papá me amaba más que a su Chevy, más que cualquiera de sus vehículos, más de lo que jamás me imaginé.

Desde ese día, hemos tenido nuestros altos y bajos, y lo he decepcionado lo suficiente como para hacerlo enojar, pero una cosa sigue sin cambiar, y es que papá me amaba entonces, me ama ahora, y me amará por el resto de mi vida.

Una maestra exigente

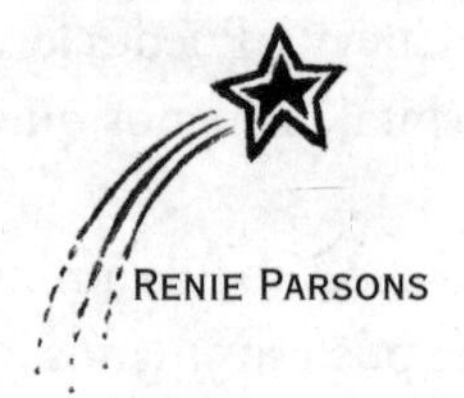

RENIE PARSONS

Mi madre era una maestra de la escuela antigua. Creía que la educación era esencial para una buena vida, y que la disciplina era una parte muy importante de la educación. Cada alumno de primer año en la secundaria del pueblecito en que vivíamos, estaba en su clase de inglés. Era una maestra exigente; porque creía que tenía que serlo. Creía que todos debían poder leer el periódico y que todos debían aprender ortografía y gramática. Muchos de sus alumnos no estaban de acuerdo.

Yo sabía que ella no era una maestra muy popular, aún así, sentía cierta admiración por ella. Mi madre fue criada en una granja que nunca fue de su padre. Él alquilaba la tierra para plantar algodón. Los trece hijos debían recoger algodón y plantar la mayor parte de lo que comían. Era un trabajo muy duro que hacían sin discutir.

Uno de los dichos favoritos de mi madre era: "Lo que no te mata, te hace más fuerte". Yo sabía que ella era muy fuerte y que "lo que no la había matado" la había hecho tan fuerte.

Recuerdo un día cuando mis compañeros de la secundaria y yo, corrimos al negocio donde vendían hamburguesas para almorzar. El lugar estaba lleno de alumnos, la mayoría eran de clases superiores a la mía. Había un chico en particular que era guapísimo. Sabía quién era, pero, habría muerto antes de hacer cualquier cosa que llamara su atención. Sólo quería acercarme lo suficiente para decir que había estado allí, a su lado, a la hora del almuerzo.

Él le estaba gritando a un amigo sobre el ruido de la multitud. Yo tenía que saber qué era lo que le estaba diciendo, ése sería un chisme de alto nivel. Seguí acercándome y acercándome hasta que llegué a su lado. Me di vuelta para mirar a una amiga con esa mirada de satisfacción de haber cumplido mi misión.

Su voz se fue haciendo más y más clara hasta que de hecho pude escuchar sus palabras. Las palabras eran groseras, lenguaje al que yo nunca había sido expuesta a mis trece años. Alguien debió haberlo hecho enojar mucho. Escuché hasta que pude oír suficiente de la conversación para darme cuenta de que hablaba sobre mi madre.

Aunque muy a menudo yo estaba sujeta a la exagerada disciplina de mi madre, sabía que ella no merecía ese amargo trato de parte de ese muchacho. Toqué su brazo y simplemente le dije: "Estás hablando de mi madre".

Se volvió hacia mí e instantáneamente supe que podía pedir el mundo entero y que él me lo habría dado. La palabra TEMOR estaba escrita en el color rojo que cubría su rostro. Todos quedaron en silencio. Estaba horrorizado de que yo le dijera a mi madre lo que había oído. Empezó a rogar y suplicar por mi silencio. Las excusas venían una tras otra, mientras que yo estaba parada mirándolo. "No entiendes; tú no sabes lo que ella me hará. Tengo que sacar una "A" en su clase. Solamente estaba enojado, nunca quise decir lo que dije. No puedes contárselo. ¡Me matará! Por favor, por favor, por favor".

No dije nada. Me di vuelta y me fui. Entendía su temor. Nunca se lo contaría a ella. ¿Cómo le cuentas algo así a tu madre?

Con frecuencia sentí como si mi madre fuera una tirana después de ese incidente. Sabía que era una buena maestra que esperaba que sus alumnos aprendieran en clase, pero todavía creía que mucho de lo que ese chico dijo, debía ser cierto.

Un par de años más tarde, yo fui alumna en su clase. Fue un año muy difícil. Pasé la mayor parte del año sentada en la parte de atrás del salón, en una mesa con una silla, sola, porque hablaba demasiado en clase.

Más tarde ese año, mi madre y yo íbamos saliendo de una tienda cuando un joven nos detuvo en la acera. Iba vestido en uniforme de marino y se veía muy arreglado recostado sobre el parquímetro. Vagamente recordaba que se había graduado de nuestra secundaria uno o dos años antes.

Escuché un poco de su conversación. Empezó así: "Señora McGuire, le debo una disculpa. Fui un alumno muy difícil cuando estuve en su clase de inglés". Ella asintió, reconociendo la verdad de su declaración. "Todo lo que yo quería hacer era jugar fútbol, pero usted no me quería hacer pasar de clase sin aprobar, y por eso, yo la odiaba. Usted me hizo aprender. Me hizo aprender gramática y ortografía. Yo no era bueno para ninguna de las dos; trabajé duro para sacar las notas que necesitaba para continuar en el fútbol. Aún así sólo saqué una "C" en su clase".

Mi madre sonrió a medias, recordando.

"Sólo quería que supiera que sí aprendí mucho de usted. Después de la secundaria me enlisté en la marina para evitar que me mandaran al ejército. Me hicieron secretario porque yo era el único en mi unidad que podía escribir con buena ortografía y gramática. Señora McGuire, casi a todos los demás muchachos los mandaron a Vietnam y muchos de ellos nunca volvieron a casa. Yo estoy vivo hoy, gracias a usted. Gracias por hacerme aprender, y perdóneme por haberle dado tantos problemas en la clase".

Mi madre le agradeció y lo exhortó a que continuara aprendiendo.

Yo estaba sorprendidísima. Mi madre había salvado la vida de alguien. Con lágrimas, le pregunté por el muchacho. En su manera usual, me dijo que era tonto llorar. Después de todo, me recordó, llorar nunca resolvió nada. Cuando entramos al automóvil para ir a casa, me volví para ver el rostro de mi madre. Disimuladamente se limpió una sola lágrima que se le había formado en uno de sus ojos.

Nunca más volví a considerarla una tirana.

"Míralo de esta manera... Las posibilidades de que eso te vuelva a pasar, son prácticamente imposibles".

Todos los cambios empiezan contigo

SEAN COVEY
TOMADO DE "THE 7 HABITS OF HIGHLY EFFECTIVE TEENAGERS"
(LOS 7 HÁBITOS DE ADOLESCENTES ALTAMENTE EFECTIVOS)

"¿Qué es lo que te pasa? Me estás decepcionando. ¿Dónde está el Sean que conocí en la escuela secundaria?", me dijo el entrenador, "¿quieres estar en el campo de juego?"

Yo estaba medio aturdido: "Sí, por supuesto".

"Por favor, sólo estás haciendo acto de presencia, pero tu corazón no está en el juego. Más vale que te enmiendes, o los jugadores más jóvenes te aventajarán, y no jugarás más aquí".

Era mi segundo año en la Universidad Brigham Young (BYU) durante el campamento de pretemporada de fútbol americano. Al salir de la secundaria, me reclutaron varias universidades, pero yo escogí BYU porque tenía tradición de producir mariscales de campo del calibre de Jim McMahon y Steve Young, quienes llegaron a ser profesionales y llevaron sus equipos a las finales. Aunque yo era el tercer mariscal de campo en ese entonces, ¡quería ser el próximo en llegar a ser profesional!

Cuando el entrenador me dijo que "mi juego dejaba mucho que desear", fue como una bofetada en la cara. Lo que realmente me molestaba era que tenía razón. Aunque pasaba muchas horas practicando, realmente no estaba tan seriamente comprometido. Me estaba retrayendo, y lo sabía.

Tenía una difícil decisión qué tomar, o renunciaba al fútbol o, triplicaba mi nivel de compromiso. Durante las siguientes semanas, peleé una batalla dentro de mí, y me enfrenté con muchos temores y dudas respecto de mí mismo. ¿Tenía yo realmente lo que se necesitaba para ser el mariscal de campo principal? ¿Podría manejar la presión? ¿Era lo suficientemente grande de tamaño? Pronto se me hizo claro que tenía miedo, miedo de competir, miedo de ser el centro de atención, miedo de intentarlo y quizá fallar, y todos esos temores me estaban deteniendo de dar lo mejor de mí mismo.

Leí una cita grandiosa de Arnold Bennett que describe lo que finalmente decidí hacer sobre mi dilema. Escribió: "La verdadera tragedia es la tragedia del hombre que nunca en su vida se fuerza a sí mismo a hacer su esfuerzo supremo, nunca se extiende a su capacidad completa, nunca se para a la altura de su verdadera estatura".

Nunca me gustó quedarme atrás, así que decidí realizar un esfuerzo supremo, y comprometerme de lleno a llegar a mi meta. Decidí dejar de retenerme y ponerlo todo en la línea de juego. No sabía si tendría la oportunidad de ser el primero, pero si no, al menos lo habría intentado con todas mis fuerzas.

Nadie me escuchó decir: "Voy a dar lo mejor de mí mismo", no hubo aplausos. Fue solamente una batalla que peleé en privado durante varias semanas, y gané sólo dentro de mi propia mente.

Una vez que tomé esa decisión, todo cambió. Empecé a arriesgarme y a mejorar muchísimo en el campo. Mi corazón estaba en el juego, y los entrenadores lo notaron.

Cuando empezó la temporada, los partidos iban pasando uno a uno, y yo estaba sentado en la banca. Aunque estaba frustrado, seguí trabajando duro y continué mejorando.

A la mitad de la temporada venía el gran partido del año. Teníamos que jugar contra la Fuerza Aérea, frente a 65.000 aficionados. Una semana antes del partido, el entrenador me llamó a su oficina y me dijo que yo sería el mariscal de campo que iniciaría el partido. No hace falta decir que fue la semana más larga de mi vida.

El día del encuentro finalmente llegó. A la patada de inicio, tenía la boca tan seca que casi ni podía hablar, pero después de unos cuantos minutos, me calmé y llevé a nuestro equipo a la victoria. Hasta me nombraron el mejor jugador del partido. Después de eso, mucha gente me felicitó por la victoria y mi rendimiento en el campo. En realidad, la gente no entendía.

Ellos no conocían la verdadera historia. Pensaban que la victoria había sucedido en el campo, ese día a la vista de todos. Yo sabía que había sucedido meses atrás, dentro de mi propia cabeza, cuando decidí enfrentar mis temores, dejar de retenerme y obligarme a hacer ese esfuerzo supremo. Ganarle a la Fuerza Aérea fue un reto mucho más fácil que vencerme a mí mismo. Las victorias privadas siempre vienen antes que las públicas. Como lo dice el refrán: "Hemos enfrentado a nuestro enemigo y somos nosotros mismos".

Una canasta de amor

CHRIS A. WOLFF

En un gimnasio en el sur de California, hace unos quince años, dos equipos de baloncesto de escuela secundaria de chicas, se enfrentaron en un campeonato que, para la mayoría no significaba sino una marca más en la columna de victoria/derrota . Para la mayoría de los que estuvieron allí, el recuerdo de ese partido ya se ha desvanecido o ha desaparecido totalmente, pero como una de las jugadoras, les diré que es un recuerdo que tengo grabado en el corazón y en la mente.

Estábamos jugando contra el mejor equipo de nuestra liga de secundaria. Eran intimidantes en tamaño, habilidad y número. Nosotras, por otra parte, éramos pequeñas de tamaño, inexpertas y temblábamos en la cancha. Después de evaluar nuestras posibilidades de ganar, nos fijamos una meta razonable y práctica: ¡Tratar de salir vivas!

Conforme el partido avanzó nos encontramos en una posición inesperada. Estábamos perdiendo, sí, pero sólo por unos pocos puntos. Durante todo el segundo cuarto del juego, logramos anotar varias veces. Después del medio tiempo el dominio del partido cambió frecuentemente, y el resultado estaba totalmente en el aire, no llevábamos desventaja. De hecho, teníamos una buena oportunidad de vencer al mejor equipo de nuestra liga.

El reloj marcaba los últimos segundos del partido, estábamos perdiendo por un solo punto. Teníamos diecinueve segundos para anotar la canasta ganadora. El otro equipo tenía la pelota e iba hacia su canasta, yo mo moví a la línea de mediacancha para enfrentar a mi oponente. Mientras que la distancia entre nosotras se acortaba, escuché una voz interior que me decía: *¡Le voy a quitar la pelota!* Pero no tuve más tiempo para pensar, solamente reaccioné. Mi oponente estaba a escasos centímetros de distancia, así que extendí la mano derecha y la dirigí a la pelota. Para sorpresa de ambas, la pelota cambió de sus manos a las mías. Ahora no solamente tenía la pelota en las manos, sino también el destino del juego.

Corrí hacia nuestra canasta y cuando llegué, levanté la pelota tan alto como pude estirarme. La pelota pegó delicadamente en el anillo. La adrenalina en mi cuerpo me tiró casi fuera de la cancha, y vi la pelota a través del tablero de vidrio. Dio una vuelta alrededor del anillo, luego una segunda y finalmente una tercera. La tercera vez que dio la vuelta, la pelota cayó ... justo fuera del frente del anillo y directamente en las manos de la chica a quien yo se la había quitado. *¡Había fallado la canasta!* Me detuve media aturdida. Unos segundos más tarde, escuché anunciar el final del partido. El partido había terminado y habíamos perdido por un punto.

Todavía un poco aturdida, caminé hacia la banca. Cuando vi a mis compañeras del equipo, empecé a llorar. Las había decepcionado. Perdí el partido, pero cuando vi a mi entrenadora me embargó aún más la tristeza. Me sentía tan avergonzada. No quería que me viera. Quería meterme en un agujero y desaparecer. Pesé para mis adentros: "¿Cómo pude haberla decepcionado?"

Mi entrenadora era una de las personas más importantes de mi vida. Era mi héroe. Era la primera persona a quien yo admiraba en mi vida. La amaba no solamente por las cualidades personales que veía en ella y que deseaba para mí misma, sino también porque sabía que ella veía algo especial en mí. Siendo una chiquilla de catorce años, delgadita y que usaba anteojos, no pensaba que alguien pudiera ver nada especial en mí, pero mi entrenadora lo veía.

Después que las cosas se calmaron un poco, fui al baño a recuperar la compostura. Cuando iba caminando hacia fuera del gimnasio, a propósito evité a mi entrenadora. Estaba segura que esa parte "especial" que ella había visto y amado dentro de mí, se había desvanecido. ¡Yo era una perdedora! Todos en ese gimnasio habían sido testigos de ese hecho, yo no podía esconderlo. La verdad sobre mí había sido revelada: Yo no era nada especial. Era un fracaso. Aunque sabía que finalmente tendría que enfrentarla, quería atrasar ese momento tanto como me fuera posible. Quería prepararme para el momento en que vería en sus ojos que yo ya no era "especial".

Después de varios minutos dejé el baño. En el pasillo, respiré produndamente, levanté los hombros y me preparé tanto como pude para enfrentar a todos aquellos que habían sido testigos de mi fracaso. Cuando di el primer paso hacia las puertas dobles, vi que una de ellas se empezó a abrir. Me quedé congelada y contuve la respiración, cuando la puerta se terminó de abrir vi a mi entrenadora.

Mi reacción inmediata fue buscar dónde esconderme, pero en ese pequeño pasillo no había adónde ir. Por un momento nos detuvimos, y luego lentamente caminamos la una hacia la otra. Cuando llegué a escasos centímetros de ella, solamente dije dos palabras: "Lo siento". Salieron en un susurro mientras que la emoción volvió a embargarme. Su figura de un metro ochenta de estatura se agachó sobre mí y sus largos brazos me abrazaron. Inclinando la cabeza me dijo: "No te cambiaría por nadie".

Me repetí a mí misma sus palabras: "No te cambiaría por nadie". Me tomó algunos segundos captar el concepto. Con cinco palabras mi entrenadora me había llenado con un amor tremendamente poderoso e inmerecido. Fue lo único que me dijo esa noche, y fue más que suficiente.

Buenos tiempos

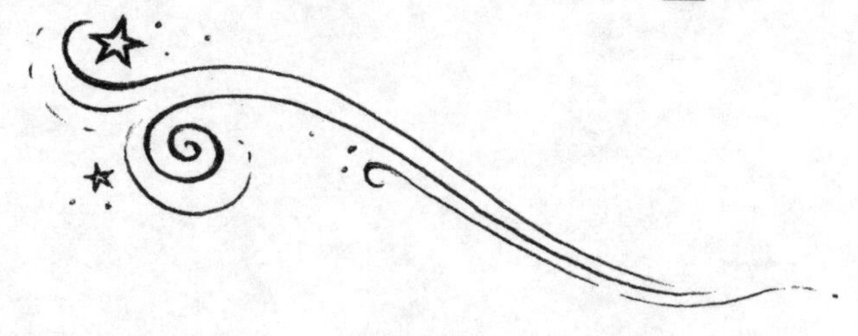

Cosas que he aprendido últimamente...

Las risas de medianoche limpian tu ser interior,
las niñitas necesitan sentirse lindas,
divertirse con alguien, le abre las puertas a la amistad,
y la Navidad es amor.

Pudimos haber bailado toda la noche

Guy Rice Doud

Tomado de "Molder of Dreams" (Moldeador de sueños)

Como miembro del consejo de estudiantes de la escuela secundaria, trabajaba con los líderes para apoyar proyectos que involucraran servicio a los estudiantes. Me impresionaba el entusiasmo de mis alumnos para ayudar con eventos de recolectar comida enlatada para ayudar a la comunidad.

Nuestro programa de "Adopta un abuelo", había sido muy satisfactorio para los alumnos que habían participado en él. Habían crecido como personas al descubrir el valor que existe en otras personas. Creo que el verdadero líder es el verdadero servidor, y trataba de hacer llegar ese mensaje a mis alumnos, pero nunca les llegó tan claramente como la noche del baile de graduación.

Tom Rosenberger me había llamado. Tom era mi amigo, y uno de los directores de escuela primaria; y había escuchado una idea en un seminario al que había asistido y me llamó para compartirla conmigo. Me encantó y se la comuniqué a mi consejo estudiantil.

"¿Señor presidente?", dije.

Mike, el presidente del consejo estudiantil, me respondió: "Sí, ¿señor Doud?"

Empecé gradualmente. "He estado pensando en una idea y quiero compartirla con ustedes".

"¿Cuál es la idea?", me preguntó Mike.

"Pienso de deberíamos realizar un baile de graduación", dije.

"¡Ya tenemos un baile de graduación!", respondieron casi al unísono los treinta estudiantes que se preguntaban si no estaría perdiendo la cabeza. Sabían que organizarlo era la responsabilidad de la clase que se graduaría el año siguiente.

"No hablo de una baile de graduación para los alumnos de los dos últimos grados", dije.

"¡No vamos a incluir a los alumnos del segundo año!", dijo un chico graduando.

"No, estoy hablando de un baile de graduación para los mayores ...", pero no me dejaron terminar.

"Pero si los graduandos pueden ir al baile de graduación", respondió Mike, preguntándose qué le pasaba a su consejero.

"No estoy hablando de alumnos mayores, sino de personas mayores, personas de nuestra comunidad que sean mayores de cincuenta y cinco años de edad. Organicemos una baile de graduación para ellos".

"¿Por qué querríamos hacer eso?", preguntó Mike.

"Tomemos el dinero que hemos reunido este año", dije, "y devolvámoslo a la comunidad en forma de un obsequio. Ese obsequio será un baile de graduación, al cual invitaremos a las personas mayores de la comunidad. Decoraremos el gimnasio, contrataremos una orquesta, tendremos arreglos de flores para las damas...", estaba empezando a mostrar mi entusiasmo.

"Si gastamos dinero en eso, ¿quiere decir que no haremos nuestro viaje de primavera?", preguntó una chica, bajando el espejo que sostenía en su mano.

"Gastaríamos el dinero que fuera necesario para organizar una velada especial para nuestros vecinos mayores. La orquesta que contratemos tocará los éxitos de las grandes bandas de los años veinte y treinta, y otro tipo de música bailable. Me puse en contacto con una orquesta, y hablé con el director y le parece una idea excelente. Le dije que yo pensaba que ustedes también la considerarían una idea genial", a veces puedo ser muy persuasivo.

Luego de mucha discusión, el consejo votó que se formara un comité que organizara el baile de graduación para las personas mayores. Las siguientes semanas observé cómo mis alumnos se fueron entusiasmando con el baile. Algunos de los chicos en el consejo decidieron rentar esmoquins para poder verse bien como anfitriones. Las chicas planeaban usar sus vestidos largos para ser anfitrionas.

Todo Brainerd estaba emocionado la semana antes del baile. El famoso comentarista radial Paul Harvey, empezó la segunda página de su transmisión diaria de la siguiente forma: "En Brainerd, Minnesota, el consejo estudiantil de una secundaria está planeando un baile de graduación... para personas mayores. Los estudiantes de Brainerd van a proporcionar una orquesta, arreglos florales, estacionamiento, comida gratis y... ¡también serán los chaperones!"

De alguna manera me preocupaba la falta de publicidad. Mis alumnos se habían puesto en contacto con los centros de personas mayores del área y habían enviado invitaciones, pero cuando escuché que lo anunció Paul Harvey, mis temores desaparecieron.

Finalmente, llegó la noche del baile. Los alumnos habían decorado nuestro gimnasio más bello que nunca. Fue como el gimnasio que había visto en mis sueños de mi época estudiantil. El departamento floral de la escuela vocacional había donado las flores, algunos de los bancos locales donaron la comida, la compañía de autobuses que trabaja para el distrito escolar obsequió el transporte a cualquier persona que lo necesitara. Mis alumnos habían procurado atender todos los detalles. Nos sentamos a esperar para ver cuántas personas asistirían. El baile debía empezar a las seis y media de la tarde. ¡Empezaron a llegar a las cuatro y media!

Una de las primeras en llegar fue una señora mayor que llevaba un bastón. Se detuvo después en la puerta y miró a su alrededor.

"Oh", dijo, "así que ésta es la nueva escuela secundaria".

No quise recordarle que la escuela tenía más de quince años.

"Nunca había entrado aquí", dijo.

Mark Dinham, uno de los principales organizadores del baile, tomó un arreglo de flores y le preguntó si podía ponérselo en la solapa. Ella accedió.

"El baile no empieza hasta las seis y media", dijo Mark.

"Esperaré", dijo ella, "quería conseguir un buen asiento".

"¡Espero que baile!", le dijo Mark.

"¡Bailaré si tú bailas conmigo!", le dijo mientras Mark terminaba de arreglarle las flores.

El joven se ruborizó un poco. "Claro, bailaré con usted, pero tengo que ir a casa a cambiarme de ropa", contestó.

Minutos más tarde, una pareja se acercó a la mesa. "¿Es aquí el baile de graduación?", preguntaron.

"Así es", respondí.

Apenas podía creer lo que dijeron: "Somos de Oregón y vamos camino a Wisconsin. Escuchamos que lo anunció Paul Harvey ayer, así que buscamos Brainerd en el mapa y decidimos desviarnos un poco de nuestro camino para poder venir a su baile de graduación. ¿Podemos entrar?"

Y la gente siguió llegando. Para la hora de comenzar el baile, había más de quinientas personas mayores dentro del gimnasio transformado en salón de baile.

Pero teníamos un gran problema. Mike fue el primero en hacérmelo notar. Lo vi bailando con una dama después de otra, y no había tenido tiempo de tomarse un descanso.

"Sr. Doud", dijo, "tenemos una seria escasez de hombres aquí".

"¿Qué vas a hacer al respecto, Mike?", le pregunté.

"Sé dónde están algunos de los del equipo de hockey esta noche, y creo que podría llamarlos y pedirles que vayan a sus casas por sus trajes y vengan acá".

"Buen plan", le dije.

Pronto empezaron a llegar algunos de las amigos de Mike. Vi a la dama que llegó primero ir hacia uno de los jóvenes que acababan de entrar al gimnasio.

"Ven y baila conmigo", le dijo, tomando su mano antes que él pudiera darse cuenta de lo que estaba pasando.

Mike se me acercó. "Esto es divertido, ¿dónde aprendieron a bailar así?"

Mike y muchos de mis alumnos estaban sorprendidos de que algunos de los bailes hasta tenían pasos y patrones que seguir. Me uní cuando las personas mayores nos enseñaron a bailar vals y polka. Yo tampoco sabía bailar esas piezas.

Una de las señoras que se habían arreglado para la ocasión, llevaba puesto un bello vestido de lentejuelas, el cual brillaba con esplendor en las luces del gimnasio. Bailamos y ella me guió.

"Si tuviera unos sesenta años menos, te perseguiría", me dijo.

Me reí.

"¿En qué grado estás?", me preguntó.

Me reí aun más. "Soy maestro aquí. Estoy a cargo de estos chicos".

"Oh", dijo ella, "eres tan joven y guapo".

Esta vez no me reí. "Y usted es muy bella", le contesté.

"Ah, por favor"...

La orquesta empezó a tocar una canción de *Mi bella dama*, y mientras seguía a mi compañera de baile, pensaba en Eliza Doolittle. Henry Higgins había visto a una elegante mujer cuando todos los demás habían visto a una simple campesina.

"Podría haber bailado toda la noche", era el título de la canción, y mi pareja cantaba con la música. "Esa fue una buena película", agregó, "pero estoy segura de que no es de tu época".

"No, pero la recuerdo muy bien". Miré a mi alredor y vi cada uno de mis estudiantes bailando con uno de los invitados.

Un hombre mayor estaba enseñándole a una chica de segundo año a bailar vals. La observé. Estaba acostumbrado a verla en pantalones y se veía bellísima en vestido largo.

Cuando la velada llegó a su fin, nadie quería irse.

Mike se me acercó. "Me he divertido como nunca antes en la secundaria".

"¿Quieres decir que te has divertido más que en tus propios bailes de graduación?", le pregunté.

Sin pensarlo ni un segundo, Mike respondió: "Realmente uno se siente muy bien cuando hace algo por los demás".

El siguiente lunes, Paul Harvey, que debió haber tenido espías por todos lados, concluyó su transmisión con esta historia: "¿Recuerdan que la semana pasada les conté que el consejo estudiantil de Brainerd, Minnesota iba a ofrecer un baile de graduación para personas mayores? Pues, lo hicieron... y llegaron más de quinientas personas. Los alumnos de secundaria bailaron con ellos y los chaperones no informaron de problemas mayores ... bueno, hubo unos cuantos besitos en una esquina del salón, pero ningún problema serio. Les habla Paul Harvey, ¡que tengan buen día!"

Por amor a los extraños

ROBIN JONES GUNN

TOMADO DE LA REVISTA "VIRTUE" (VIRTUD)

Alenka me enseñó todo lo que sé sobre la hospitalidad.

La pequeña Alenka, la de la carita en forma de corazón y los ojos color gris claros. Alenka, la rusa, me enseñó, es cierto, pero no fui una alumna fácil.

Nos conocimos en Austria en el hogar de una familia cristiana. Yo había estado allí por varios días visitándolos hasta que empezaran las clases. Una noche, Alenka llegó a la puerta. Estaba parada en la entrada de esta apartada granjita, temblando, y se veía tan asustada como un ratoncito.

La familia la saludó con gran gozo y entusiasmo. Había algo especial respecto a esa jovencita, y yo quería ser parte de la celebración; cuando escuché la conversación, me di cuenta de que no podía entender una sola palabra.

"¿Qué está diciendo?", le pregunté a Karl, el hijo mayor.

"Está hablando en ruso", me dijo. "Ella sólo habla ruso. La ha pasado muy mal. No pensamos que fuera a sobrevivir, realmente necesita descansar. La pondremos en la habitación de invitados contigo. Tendrá que compartir tu cama".

¿Compartir mi cama? ¡Ni siquiera la conozco! ¿De dónde viene? ¿Qué está haciendo aquí?

Seguí a Karl que llevaba su pequeño maletín café hacia la habitación de huéspedes.

"¿Por qué está aquí?", insistí. "¿Cuál es su problema? ¿Cómo se llama?"

Karl hizo una pausa por un momento, luego, mirándome directamente respondió: "Su nombre es Alenka. Eso es todo lo que necesitas saber"; sus ojos me dijeron que lo decía en serio, así que no pronuncié otra palabra.

Esa noche dormí con una extraña a mi lado.

Durmió bien, con un sueño profundo, silencioso y sin movimiento con el edredón blanco asegurado bajo su barbilla. Yo dormí muy poco y me levanté temprano a ayudar en la cocina. Mi familia anfitriona tenía ocho hijos, eso significaba doce puestos en la mesa de madera al abrir su círculo familiar y permitirnos entrar a Alenka y a mí.

Alenka no llegó a desayunar ni a almorzar a mediodía; más tarde, cuando yo estaba lavando papas en la cocina, entró y sonrió.

Se veía como una florecita silvestre, fresca y cálida. Hablaba con libertad, hacía gestos con las manos y con expresiones faciales; me imaginé que estaría muerta de hambre. Cuando puse ante ella un plato de guiso y un trozo de pan, comió lentamente y con mucha gracia, como si agradeciera cada bocado.

Esa noche, cuando fuimos a la cama, salió por un momento de nuestro cuarto y regresó con una taza de té caliente para mí, pero nada para ella. Me senté en la cama, un poco confundida con su amabilidad. Hablando en ruso me animó a que lo bebiera, y mientras yo tomaba el té, ella me hablaba en esa manera animada que tenía. Yo no tenía idea de lo que me estaba diciendo.

La noche siguiente me trajo un trozo de pan untado con un poco de mantequilla. Creo que debe haber guardado su trozo de pan de la cena. Junto con el pan, trajo un vaso de jugo de frutilla.

Esta vez cruzó las piernas sobre el edredón y se sentó. La luz de la luna le caía sobre las manos que estaban apoyadas en su regazo. Luego, levantando su barbilla me cantó mientras yo comía. Era una canción triste y hermosa, como notas de una flauta solitaria en la quietud del aire nocturno.

Me sentía un poco incómoda de recibir sus atenciones, y ser tan torpe al tratar de comunicarme con ella. Le comenté a Karl después del desayuno la siguiente mañana. ¿Por qué hacía todas estas cosas por mí? Yo sabía que también era cristiana, pero éramos extrañas y extranjeras. De acuerdo a nuestras políticas de gobierno, éramos enemigas.

"¿Conoces la verdadera hospitalidad?", me preguntó Karl.

Pensé en el estilo de entretenimiento con el que yo había crecido en mi hogar de California. La amabilidad que requiere de fina loza y cristal, exquisitos bocadillos, y que decora el baño con toallas bordadas. Luego pensé en los obsequios de Alenka y su canción en la noche.

"No sé", respondí, "quizá no".

"La hospitalidad literalmente significa 'amor hacia los extraños'", me explicó Karl. "Eso es lo que Alenka está haciendo. Amándote a ti, una extraña".

¿Yo? ¿Una extraña? ¡Yo no soy la extraña, la extraña es ella!

Ese pensamiento me molestó toda la tarde, y tan pronto como pude irme de allí, di una caminata en el bosque para aclarar la mente. La hierba del verano sonaba debajo de mis pies, y las ramas del camino se sentían ásperas y duras.

Llegué a un claro donde el sol se derramaba como miel y cubría una banca hecha a mano. La banca se sintió confortable cuando me senté a descansar.

Me recosté en la calidez de la banca mientras hacía un inventario de mi concepto de hospitalidad.

Mi imagen de un evento social bien organizado y diseñado para impresionar a mis amigos, no encajaba con lo que Karl había dicho de que la hospitalidad es "amor por los extraños". Quizá yo no conocía la verdadera hospitalidad. Quizá yo no conocía el verdadero amor.

En ese momento, escuché el ruido de alguien más caminando en el bosque y Alenka entró en el claro. Se veía como un personaje de cuento con flores silvestres en su cabellera color ámbar, y la falda un poco doblada. Hablando vívidamente, me ofreció fresas silvestres de las que traía en su falda recogida.

Luego Alenka me tocó el hombro y ansiosamente señaló detrás de mí. Susurró y me indicó que debía volverme a ver algo. Lentamente me volví y vi a un venado parado a no más de dos metros de distancia. Estaba parado en perfecta quietud, y nos miraba directamente, las dos, extrañas en su territorio. Súbitamente se dio vuelta y corrió, terminando con nuestro breve encuentro y dejándonos solas. Alenka se rio alegremente con una risa de niña y pensé cuán distinta al venado era ella. No huyó cuando nos forzaron a estar juntas, y rápidamente me dio su amistad con calidez y un corazón amoroso.

"Tú eres mi amiga", le dije mientras íbamos de regreso por el sendero, "me has enseñado mucho". Creo que me entendió.

Alenka ya estaba dormida cuando llegué a la cama esa noche. Era mi última noche en ese lugar, y me había quedado hasta tarde conversando con nuestros anfitriones. Sobre mi almohada había un recipiente de madera con frutillas, las que Alenka había recogido. A la par del recipiente había una tarjeta hecha a mano. La abrí con lágrimas en los ojos. Tres pequeñas florecitas silvestres estaban cuidadosamente presionadas dentro de la tarjeta. Al lado opuesto de las flores, Alenka había escrito en letras grandes, cinco palabras en ruso, y firmó su nombre. Sostuve esa tarjeta por un largo rato en la habitación oscura mientras que Alenka dormía tranquilamente a mi lado.

Durante los años siguientes, sostuve esa tarjeta en mis manos muchas veces con pensamientos muy gratos sobre Alenka.

Nunca pedí que me tradujeran las palabras. Su mensaje era claro, decían lo mismo que Alenka había estado diciéndome desde que nos conocimos: "Querida extraña, te amo. Alenka."

Lecciones de conducir

CHARLES SWINDOLL

TOMADO DE "THE GRACE AWAKENING" (EL DESPERTAR DE LA GRACIA)

Recuerdo cuando obtuve mi primera licencia de conducir. Tenía unos dieciséis años. Ya había estado conduciendo en forma esporádica por tres años (¡qué miedo!, ¿verdad?). Mi padre había estado conmigo la mayor parte del tiempo durante mis experiencias de aprendizaje, tranquilamente sentado a mi lado en el asiento de enfrente, dándome consejos y ayudándome a saber qué hacer. Mi madre no estaba en esas excursiones porque se pasaba la mayor parte del tiempo comiéndose las uñas (y gritando) en lugar de enseñarme a conducir. Mi padre era un poco más llevadero. Los ruidos fuertes y el chirrido de los frenos no lo molestaban tanto. El mejor de todos era mi abuelo. Cuando manejaba su carro y le pegaba a algo, él me decía: "Sigue adelante, hijo, puedo comprar más guardabarros, pero no puedo comprar más nietos. Estás aprendiendo". Qué caballero más grandioso. Después de tres años de todo ese entrenamiento, finalmente conseguí mi licencia de conducir.

Nunca olvidaré el día que entré mostrando mi recién adquirido permiso y dije: "¡Mira, papá, mira!" Él exclamó: "¡Fantástico! Conseguiste tu licencia. ¡Felicitaciones!" Agarrando las llaves de su automóvil, las tiró en dirección a mí y dijo: "Hijo, aquí está el automóvil, es todo tuyo por dos horas". Solamente tres palabras, pero maravillosas: "Es todo tuyo".

Le agradecí, me fui casi bailando al garaje, abrí la portezuela del vehículo y metí la llave en la ignición. Mi ritmo cardiaco debe haber llegado hasta las ciento ochenta pulsaciones mientras retrocedía y me llevaba el vehículo, que era "todo mío". Mientras conducía, empecé a pensar en cosas locas, como: *Este automóvil puede probablemente llegar a ciento cincuenta kilómetros por hora. Podría llegar a Galveston y regresar dos veces si hiciera un promedio de ciento cincuenta kilómetros por hora. Puedo volar por la carretera del Golfo y pasarme un par de luces, después de todo, nadie está aquí para decirme que no lo haga.* ¡Estamos hablando de pensamientos locos y peligrosos! ¿Pero, saben qué? No hice ninguna de esas locuras. No creo siquiera haber pasado el límite de velocidad. De hecho, recuerdo claramente haber regresado más temprano... ni siquiera estuve fuera las dos horas. Sorprendente, ¿verdad? Tuve el automóvil de mi padre para mí solo con un tanque lleno de gasolina, y el contexto de total libertad, pero no enloquecí. ¿Por qué? Porque mi relación con mi padre y mi abuelo era tan fuerte que no podía defraudarlos, aunque tuviera licencia y no hubiera nadie en el vehículo que me detuviera. Con el tiempo se había desarrollado una sensación de confianza, una relación profundamente amorosa.

Después de darme las llaves, mi padre no salió corriendo a pegar un rótulo en el tablero que dijera: "No te atrevas a excederte del límite de velocidad", o "Hay policías por toda la ciudad y te agarrarán, así que chico, ni siquiera pienses en hacer alguna locura". Simplemente sonrió y dijo: "Aquí están las llaves, hijo, disfrútalo". Qué demostración de gracia fue ésa y ¡cuánto la disfruté!

La cita de mis sueños

LARRY ANDERSON
TOMADO DE "TAKING THE TRAUMA OUT OF TEEN TRANSITIONS"
(QUITÁNDOLE EL TRAUMA A LAS TRANSICIONES DE ADOLESCENTE)

Carl había soñado con su baile de graduación por meses. No podía esperar a que llegara esa noche. Cindy, la chica con quien siempre había querido salir, le había dicho que iría a la fiesta con él. Desde entonces, los pies de Carl no tocaban el suelo. Esta iba a ser la noche más romántica de la historia. *Cindy estará tan admirada que seguramente se sentirá feliz cuando la rodee con mis fuertes y varoniles brazos*, pensaba Carl con entusiasmo. De aquí hasta la eternidad, cuando los jóvenes piensen en amor y romance, nuestra historia será su ejemplo.

Mientras se vestía para la gran noche, Carl repasaba cada momento de la velada. Cada palabra que diría, cada movimiento que haría. Todo fue cuidadosamente planeado, y nada iba a arruinarle esta velada.

Se detuvo frente a la casa de Cindy en el automóvil recién lavado y pulido de su madre. Se acercó a la puerta principal mientras volvía a repasar las notas mentales que había hecho sobre cómo reaccionaría ante su vestido nuevo, y cómo se ganaría a sus padres con su madurez y encanto. En términos generales, mientras Carl llevaba a Cindy al automóvil, él se sentía complacido de como le había ido en la primera etapa. Pasó la sesión de fotografías y entabló una conversación amena con los padres de Cindy.

Le abrió la puerta del vehículo a Cindy y el corazón le saltó a la garganta mientras pensaba en conducir solos a cenar. Mientras se acomodaba detrás del volante y metía la llave en la ignición, empezó la pesadilla. No podía hacerlo arrancar. Con Cindy dentro del automóvil y su familia entera mirando desde la ventana de la sala, Carl trataba de no actuar alarmado. Volvió a intentarlo. Nada. Salió del vehículo y levantó el capó en la esperanza de que este acto creara alguna mágica solución.

Nada aún.

Volvió dentro del automóvil, y sus ojos se percataron de su error. En la emoción de recoger a Cindy, había olvidado poner la palanca en el cambio de estacionamiento. Tosió y trató de distraer a Cindy mientras que rápidamente puso la palanca de la consola otra vez en P. Cuando levantó la vista, vio que Cindy se estaba riendo y, para su horror, también su familia completa.

El corazón de Carl se empezó a hundir mientras conducía.

La cena demoró mucho. El servico era el doble de lento y el mesero, cansado de las propinas de los chicos de la secundaria, no fue de mucha ayuda. Carl seguía preguntándose: *¿Por qué es que cuando pagas tanto más, el servicio progresivamente se vuelve peor?* La conversación estaba tensa y Carl empezó a añorar la multitud del baile con su ruido y sus rostros familiares. Escasamente tenía suficiente dinero para la cena, y por un segundo temió lo que podría significar tener que pedirle a Cindy que le prestara para pagar.

Para cuando llegaron al baile, ya casi había terminado. Pero todavía había entusiasmo de parte de Carl en escoltar a Cindy a la pista de baile. Sentía que todos los ojos estaban sobre ellos mientras que usaba los pasos que había practicado por horas en la soledad de su habitación.

Después del baile venía la fiesta. Un buen amigo de Carl era el anfitrión y Carl estaba ansioso de ver a sus amigos allí. Recogió un plato de bocadillos para ambos y regresó al lado de Cindy que estaba sentada con algunos amigos.

Olvidó el escalón. Había un escalón hacia abajo para entrar a la otra habitación y olvidarlo fue un desastre. Se fue de cabeza al piso y aterrizó con la cara enterrada en el plato de comida. Algunos de sus amigos pensaron que "el loco de Carl" lo había hecho a propósito y que su tropezón se había convertido en la gracia de la fiesta.

Todo el camino a casa, Cindy le aseguraba a su deprimido amigo que la había pasado maravillosamente. Mientras Carl la escoltaba a la puerta principal, tenía una oportunidad más de verdadero amor: un beso de buenas noches. Se paró tímidamente ante la puerta principal como un niño de primer año que conoce por primera vez a un adulto. Cuando estaban a punto de embarcarse en el épico beso, Cindy dijo: "Carl, ¿no es el automóvil de tu madre el que va cuesta abajo?"

Primero sorprendido, y luego en pánico, vio cómo el vehículo rodaba cuesta abajo hacia un camión. Corrió por la calle y rápidamente trató de abrir la puerta, pero estaba cerrada con llave.

El automóvil seguía avanzando mientras que él buscaba desesperadamente las llaves dentro de su bolsillo. Logró quitar el seguro de la puerta, saltó dentro y lo detuvo como a medio metro del camión.

Carl estaba sin aliento, sudando y humillado. Encendió el motor, y empezó a dar la vuelta deseando irse a casa y desaparecer del mapa. Oyó un golpe en la ventanilla. Cindy estaba parada fuera del automóvil. Bajó la ventanilla, rojo y sudoroso, y vio los ojos de la chica de sus sueños, sueños que ahora estaban hecho añicos.

Luego, en un instante, su mundo volvió a dar una vuelta completa. Cindy miró a Carl, le dijo nuevamente que la había pasado muy bien, se agachó a través de la ventanilla y le dio un beso en la mejilla.

La vida puede ser hermosa.

Momentos mágicos

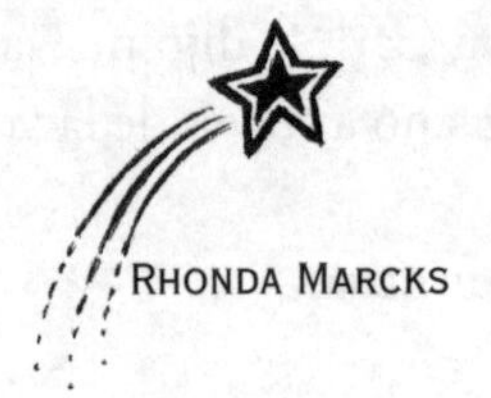

RHONDA MARCKS

Conocí a Taylor en la cafetería de la escuela, durante el desayuno. El comité de asuntos de la comunidad tenía una reunión para presentar a los nuevos miembros. Como siempre, fui una de las primeras en llegar y estaba disfrutando de mi desayuno cuando el líder del comité, y un guapísimo hombre rubio y de ojos azules se sentaron frente a mí. "Hola, Rhonda, quiero que conozcas a Taylor, él estará en nuestro comité este semestre".

Mientras nos dábamos la mano, me sentí atontada por el ligero cosquilleró que sentí subir por mi brazo. "Seguramente", pensé, "¡eso sólo pasa en las películas y novelas románticas!" Sin embargo, allí estaba yo con un brazo cosquilleando cuando él ya me había soltado la mano. Traté de calmarme y actuar en forma normal mientras terminaba el desayuno. Gracias a Dios sólo fueron unos pocos minutos antes que llegara el resto del comité y que los otros dos miembros nuevos se sentaran a la mesa.

Durante toda la reunión, sólo escuché a medias lo que Steven hablaba de las ideas que tenía para ese semestre. Trataba de averiguar qué hacer con estos sentimientos que tenía hacia Taylor. Un año antes me permití enamorarme de un amigo, y terminó siendo tan desastroso al punto de que no quería repetir la experiencia. Decidí allí, en medio de la bulliciosa cafetería que no me permitiría enamorarme de Taylor, sin importar lo que pasara.

Sin embargo, apenas un mes más tarde, mi pacto se vino abajo. Me sentía tan orgullosa de que estaba en control de mis sentimientos cuando me enteré de que Taylor y yo teníamos pensado seguir la carrera de arte. De no haber sido por esa noche de sábado después que nuestro comité terminó uno de nuestros servicios, nada habría sucedido. Dicen que Dios se mueve de maneras misteriosas, y vaya si no aprendí eso en un abrir y cerrar de ojos.

Todo empezó durante la capilla, cuando Melanie dirigía la alabanza y adoración. De repente no pudo cantar. Empezó a agitar la cabeza y tuvo que darle el micrófono a Steven para que él terminara. Observé mientras ella dejaba el área todavía moviendo la cabeza. Me di cuenta de que tenía un ataque de pánico. Yo había tenido un par de ellos y no era nada gracioso de experimentar. Quería correr hacia ella y hablarle, pero me necesitaban en el servicio, así que tuve que esperar.

Después de que el servicio terminó y todos comenzaron a salir, me di cuenta de que Melanie estaba sentada en la última banca. Reuní todo mi valor y me senté a su lado. Me miró y pareció estar sorprendida de que viniera a hablarle. Le expliqué lo que había sentido cuando la vi pasar por el ataque y le dije que yo la entendía. Se tranquilizó de inmediato y empezó a abrirse respecto a algunas situaciones por las cuales estaba pasando.

"Bueno", podrían preguntarse, "¿qué tiene esto que ver con Taylor?" Tiene mucho que ver con él. Verán, durante los pocos minutos que hablé con Melanie me di cuenta de que podríamos haber sido gemelas. Nos sentamos allí hablando por varios minutos y me desanimó ver cómo varios de los miembros del comité pasaban a nuestro lado sin siquiera preguntar cómo estaba Melanie.

¡Luego, sucedió! Mi corazón dio un vuelco. Estaba escuchando a Melanie cuando por el rabillo del ojo vi que Taylor caminaba hacia nosotras. Estaba embargada de emoción y casi lloro de felicidad cuando de hecho se sentó en la banca frente a nosotras. Preguntó si Melanie estaba bien y le dijo cómo había sentido cuando vio lo tensa que ella había estado. Me senté allí y escuché mientras que él la consolaba y, de hecho, hasta la hizo reír.

Mi corazón gimió y fue en ese momento que me di cuenta de que estaba perdida. Él había derribado todas las paredes que traté de poner entre mi sentido común y mi corazón. No tuve otra opción que ceder y permitir que mi amor por él creciera. Durante los siguientes meses aprendí lo que era el verdadero amor. Me di cuenta de que no era una bonita sensación que yo sentiría cuando todo anduviera bien, sino que era la sensación de calma, paz y seguridad que sentía sin importar lo que estuviera pasando.

Han pasado cinco años desde esa noche en que dejé los razonamientos y encontré mi corazón. Aún ahora, mientras tecleo este texto, mi corazón está embargado de mágicos recuerdos y amor hacia Taylor. Es un hecho que no todo ha sido color de rosas, pero como muchas cosas en la vida, esos momentos parecen desvanecerse en el fondo. Honestamente puedo decir, que aunque viva cien años, nunca podré olvidar esa primera vez que tomó mi mano y mi corazón para siempre.

La chica nueva

Tomado de "More Random Acts of Kindness"
(Más actos de amabilidad al azar)

Yo era la chica nueva en mi escuela secundaria, y como era muy tímida, se me hizo difícil hacer amigos. Mi escape era el voleibol. Me encanta jugar y fui lo suficientemente buena para entrar al equipo de la escuela. La mayoría de las chicas en el equipo eran muy amables, pero habían estado jugando juntas durante tres años y yo era la que venía de afuera. El tercer juego de la temporada era nuestro mayor reto; teníamos que jugar contra las campeonas estatales y tenían una jugadora increíble en su equipo que se llamaba Ángela.

Sabíamos que no teníamos muchas posibilidades de ganar, pero al menos queríamos jugar bien. Yo sabía que jugaba bien, pero no recuerdo haber hecho nada especial. De todas formas, perdimos, pero forzamos que el encuentro llegara a tres tiempos, y hasta llevamos la ventaja algunas veces. Cuando estábamos recogiendo nuestras cosas, Ángela llegó, me señaló con su dedo y me dijo: "¡Tú eres buena!" Luego sonrió y se fue.

Me sorprendí tanto que estaba un poco avergonzada hasta que mi equipo completo vino corriendo a abrazarme. De regreso al autobús, una de mis compañeras se volvió hacia mí y me dijo: "El próximo año les ganaremos porque Ángela se gradúa y nosotras todavía te tendremos a ti".

En el cobertizo de espera

Durante un largo juego de béisbol que
ya habíamos perdido,
los inquietos jugadores de doce años
preguntaban a Ritchie,
el entrenador asistente, sobre su atractiva
hermana menor. Molesto por la conversación,
el entrenador principal gritó: "¡Cuando estén en
el cobertizo de espera, hablen sólo de béisbol!"
Después de un momento de silencio,
se oyó una vocesita: "Dime, Ritchie,
¿tu hermana juega béisbol?"

– *Jack Eppolito*
de la Revista "Christian Reader"
(Lector cristiano)

¡Vive!

Emily Campagna
Discurso de Graduación
Escuela Secundaria Mountain View

Vive. Ama y atesora la vida.
Haz amigos, recuerdos y planes.
Tu vida gira en torno a ti,
pero la vida no gira en torno a ti.
Enamórate.
Ama el otoño y el invierno, la primavera y el verano.
Esquía, patina, canta y baila.
Siente el olor de la lluvia y
de las galletas con chispas de chocolate.
Toma el tiempo que necesites, pero no lo desperdicies.
Practica deportes con tu padre.
Haz ese viaje con tu madre.
Ama a los niños, porque un día fuiste niño.
Aprende de tus mayores y un día tendrás su sabiduría.
Busca la verdad. Encuéntrala en ti mismo,
en otros, y en el Dios de tu fe.
Sé paciente y gentil.
Pero, más que nada, ¡vive de verdad!

Viéndonos unos a otros bajo una luz distinta

SUSAN MANEGOLD

TOMADO DE LA REVISTA "WOMEN'S WORLD" (EL MUNDO DE LA MUJER)

Cuando mis hijas eran pequeñas, nos encantaba pasar tiempo juntas hablando o mirando televisión. Pero para cuando Lauren y Carly eran adolescentes, preferían estar en sus habitaciones, hablar por teléfono con sus amigas o escuhar música a estar conmigo, o aún, a estar la una con la otra.

Sabía que era parte de su crecimiento, pero aunque quería que mis hijas fueran independientes, también quería que fueran cercanas y una parte de mí extrañaba los días cuando nos sentábamos en el sillón con un recipiente de palomitas de maíz en la mano.

Una noche de viento, mientras su padre trabajaba, se fue la luz. "¡Genial!", oí decir a Carly, de trece años, desde su habitación.

"¡Odio esto!", gritó Lauren, de dieciocho.

Con velas y una linterna, fui a las habitaciones de las chicas. La de Lauren ya tenía el cálido brillo de la luz de las velas, así que Carly y yo entramos y pronto estábamos acomodadas en la cama de Lauren.

Carly estaba emocionada, pero Lauren se quejó cuando Carly sugirió: "Contemos historias". Sin embargo, mientras Carly empezó a hablar de la escuela y de sus amigos, las quejas de Lauren desaparecieron. Se acomodó más cerca de Carly y pronto estaban riendo tal como lo habían hecho cuando eran niñas.

Por el brillo de los ojos de Carly pude darme cuenta de que ella sabía que la oscuridad nos había traído un obsequio; me preguntaba si Lauren se sentía de la misma manera. Súbitamente, sonó el teléfono. "Sí, aquí tambien se fue la luz", le dijo a su amiga, "pero tendré que llamarte luego, estoy hablando con mi mamá y mi hermana.

¡Ella también lo sabe!, pensé, y después que colgó, Lauren sugirió: "Cantemos algunas canciones". Los ojos se me llenaron de lágrimas.

Un rato después, volvió la luz. "¡Oh, no!", gritaron las chicas, pero desde ese día, nos hemos sentido más cercanas. Nos abrazamos más y las chicas no se molestan tanto. Algunas noches sólo nos sentamos a hablar. El apagón no solamente nos dejó a oscuras; nos dio la oportunidad de vernos unas a otras bajo una luz distinta.

Haciendo la diferencia

Cosas que he aprendido últimamente...

Siempre es mejor darle a la gente
el beneficio de la duda, y la mayoría de nosotros no lo hace.
Los ojos de los perros muestran su confianza y amor,
la gente es preciosa,
y el "mayor de todos éstos", realmente es el amor.

Fundación "Buena Voluntad"

Cynthia Hamond

Annie se recostó contra su casillero y suspiró. ¡Qué día! ¡Qué desastre! Este año escolar no estaba empezando para nada como ella lo había planeado.

Por supuesto, Annie no había planeado que apareciera esa nueva chica, Kristen, y menos había planeado que la chica nueva llevara exactamente la misma falda que ella se iba a poner.

No era simplemente una falda cualquiera. Annie había cuidado a tres hermanos activos todo el verano para comprarse esa falda y su blusa de marca. En cuanto las vio en la revista, supo que eran para ella, fue directamente al teléfono y llamó para averiguar cuál era "la tienda más cercana" a su casa.

Con el precio y la fotografía en la mano, estaba dispuesta a convencer a su madre.

"Es un conjunto precioso, querida", su madre estaba de acuerdo. "Sólo que no veo cómo podemos gastar en un solo traje el importe que gastamos en casi toda tu ropa escolar". Annie no se sorprendió ante su respuesta, pero sí se desanimó.

"Bueno, si es tan importante, podemos encargarla con un depósito", dijo su madre. "Aunque tendrás que ahorrar el dinero que falta".

Así lo hicieron. Todos los viernes, Annie llevaba todo su dinero por cuidar niños a la tienda, y fue pagando el saldo. Había hecho su último pago apenas la semana pasada y corrió a casa a probarse la falda y la blusa. El momento de la verdad había llegado y tenía miedo de ver. Se paró frente al espejo con los ojos cerrados, contó hasta tres y se obligó a abrirlos.

Era perfecto, por delante y por detrás, el conjunto era simplemente perfecto. Caminó, se sentó y dio vueltas. Hasta practicó cómo aceptar humildemente los cumplidos de sus amigas para que no creyeran que era una presumida.

Al día siguiente, Annie y su madre le dieron la limpieza de fin de verano a su habitación. Lavaron y plancharon el cobertor y las cortinas, y pasaron la aspiradora por todos los rincones.

Luego revisaron los armarios y cajones para sacar ropa que pudieran regalar. Annie odiaba ese trabajo de estar sacando, doblando y guardando en cajas. Finalmente, dejaron las cajas en la Fundación Goodwill y fueron a pasar el fin de semana a la casa de la abuela.

Cuando regresaron el domingo por la noche, Annie corrió a su dormitorio. Todo tenía que estar perfecto para su "gran entrada" a la escuela el siguiente día.

Abrió el armario de par en par y buscó su blusa y su... y su... ¿falda? No estaba allí. "¡Tiene que estar aquí!", pero no estaba.

"¡Papá! ¡Mamá!" La búsqueda de Annie se convirtió casi en histérica. Sus padres corrieron a la habitación, por todos lados volaba ropa y colgadores.

"¡Mi falda! ¡No está aquí!" Annie estaba parada allí con su blusa en una mano y un colgador vacío en la otra.

"Annie, tranquilízate", su padre trató de calmarla. "No puede ser que le salieran pies y caminara. Ya la encontraremos". Pero no la encontraron. Buscaron por todas partes, debajo y sobre la cama, y en la lavandería por más de dos horas. Simplemente no estaba allí.

Annie se hundió en la cama esa noche tratando de armar el rompecabezas.

Cuando se levantó a la mañana siguiente, estaba cansada y con sueño. Buscó algo… cualquier cosa… qué ponerse. Nada llegaba a la medida de sus sueños de verano.

Fue en el casillero de la escuela donde su rompecabezas se volvió, bueno, más enredado.

"¿Tú eres Annie, verdad?", oyó una voz detrás de ella.

Annie se dio vuelta, y se sintió aturdida. *ESA es mi falda. ¡Esa es MI falda! ¡Esa es mi FALDA!*

"Me llamo Kristen. El director me asignó el casillero junto al tuyo. Pensó que como vivimos en la misma cuadra y soy nueva en la escuela tú podrías ayudarme a familiarizarme con todo". Su voz se hizo más baja, con inseguridad. Annie sólo la miraba fijamente. ¿Cómo?… ¿Dónde?… ¿Esa es mi…?

Kristen se sentía incómoda. "No tienes que hacerlo. Le dije que realmente no nos conocíamos. Sólo nos habíamos visto en la acera".

Eso era cierto. Annie y Kristen se habían cruzado un par de veces. Annie dirigiéndose a su trabajo de niñera, y Kristen con su uniforme de restaurante de comida rápida que olía a cebollas y grasa al final del día. Annie forzó sus pensamientos a ponerle atención a las palabras de Kristen.

"Seguro, con gusto te mostraré el lugar", le dijo Annie, para nada agradada. Todo el día sus amigas hablaban de Kristen y de LA FALDA, mientras que Annie estaba parada a su lado con una sonrisa fingida.

Ahora, Annie estaba esperando a Kristen para caminar a casa y tratar de resolver esto.

Conversaron todo el camino hacia la casa de Annie antes que ella tuviera el valor de hacerle la pregunta del millón. "¿Dónde conseguiste esa falda, Kristen?"

"¿No es bellísima? Mamá y yo la vimos en una revista mientras esperábamos a la abuela en la clínica del médico".

"Ah, tu madre te la compró".

"Bueno, no", Kristen bajó la voz. "No hemos pasado por muy buenos tiempos últimamente. Papá perdió su empleo y la abuela estaba enferma. Nos mudamos aquí para cuidarla mientras que papá busca otro empleo".

Annie ni se percató de lo que le decía su amiga. "Debes haber ahorrado todo tu sueldo, entonces".

Kristen se ruborizó. "Ahorré todo mi dinero y se lo di a mamá para que le comprara ropa de escuela a mis hermanos".

Annie no podía más. "¿De dónde sacaste esa falda?"

Kristen respondió rápidamente. "Mi madre la encontró en Goodwill, en una caja que dejaron justo antes que ella llegara. Mamá la abrió y allí estaba la falda de la revista, nuevecita, con todas las etiquetas todavía puestas". Kristen levantó la mirada.

¿Goodwill? ¿Nuevecita? Las piezas empezaron a encajar.

Kristen sonrió y su rostro brillaba. "Mi madre sabía que era para mí. Sabía que era una bendición".

"Kristen… yo", Annie se detuvo. Esto no iba a ser nada fácil. "Kristen", trató Annie de nuevo, "¿puedo decirte algo?"

"Claro. Lo que sea".

"Kristen", Annie respiró profundamente. "¿tienes un minuto para subir a mi habitación? Creo que tengo una blusa que se vería muy bien con tu falda".

Pequeñas mentiras

MEREDITH PROOST

TOMADO DE "TREASURES: STORIES & ART BY STUDENTS IN OREGON"
(TESOROS: HISTORIAS Y ARTE DE ESTUDIANTES EN OREGÓN)

Todo empezó un martes cuando mi hermana Melinda y yo perdimos noción del tiempo y nos dimos cuenta de que no habría forma en que pudiéramos terminar de practicar nuestras lecciones de piano antes que mamá volviera de hacer las compras. Antes de irse, habíamos acordado que haríamos todas nuestras tareas de la casa y practicaríamos piano.

"Sí", dijimos juntas cuando mamá preguntó si habíamos terminado de practicar, pero cuando entró a la sala, ahí estaba la música del piano, de la misma forma en que ella la había dejado esa mañana, y el libro de lecciones estaba en la mesa donde lo habíamos dejado después de nuestra lección el día anterior.

Mamá sabía que estábamos mintiendo. Tenía una mirada triste en el rostro. Antes que Melinda o yo pudiéramos darle alguna excusa, mamá nos dijo que nos iba a decir una mentira alguno de los días siguientes. No sabríamos cuándo nos mentiría y la mentira sería sobre algo muy importante para ambas.

Esa noche, mamá nos dijo que a la mañana siguiente, cuando nos levantáramos, el desayuno estaría esperando por nosotras: cereal caliente con mucha crema y azúcar morena, tal como nos gustaba. Melinda y yo nos miramos y supimos que ésa sería la mentira.

La mañana siguiente, cuando nos levantamos, encontramos en la cocina nuestros platos servidos con muchísima crema y azúcar morena, tal como nos gustaba.

El miércoles, mamá nos dijo que nos recogería después de la escuela para que pudiéramos ir a comprar ropa de primavera. Melinda y yo nos miramos y supimos que ésa tenía que ser la mentira. Decidimos que nos iríamos a casa en el autobús, como siempre, pero después de la escuela, mamá estaba esperándonos en el estacionamiento para llevarnos de compras.

Al siguiente día papá estaba en viaje de negocios. Mamá nos dijo que escogiéramos un restaurante, italiano o chino, y que las tres iríamos a cenar esa noche. Melinda y yo nos miramos, y supimos que ésa debería ser la mentira. Si decíamos comida china, mamá nos llevaría por pizza. Si decíamos comida italiana, sabíamos que tendríamos que comer chow mein para la cena.

Dijimos, "comida china", y esa noche cenamos sopa de won ton, chow mein, galletas de la fortuna y té.

Cuando llegamos a casa de la escuela el viernes, mamá nos recibió con "¡Adivinen qué! Acabo de reservar dos boletos aéreos. Ustedes dos van a volar, solitas, para visitar a la abuela durante las vacaciones de primavera". Ahora, eso es algo que siempre quisimos hacer. Habíamos soñado con viajar solas y habíamos hablado de ello por años. Normalmente habríamos corrido a nuestras habitaciones y empezado a empacar aunque todavía faltaban tres semanas para las vacaciones; nos miramos y supimos. Esa tenía que ser la mentira.

Mamá debe haberse sorprendido por nuestra falta de entusiasmo, pero no dijo nada. Esperó hasta el siguiente día para preguntarnos si habíamos descubierto su mentira.

Melinda dijo: "Sí, lo sabemos; no volaremos a casa de la abuela para las vacaciones de primavera. Todo lo demás que has dicho ha sido cierto, así que el viaje en avión debe ser la mentira".

"Me alegra que al fin terminó", dije.

Melinda dijo: "Sí, ha sido horrible pasar días pensando en que no podemos confiar en ti. Creo que nos merecíamos esa pequeña mentira sobre volar a casa de la abuela".

Mamá sonrió. "La mentira era que les iba a decir una mentira", dijo suavemente. "No les he dicho ninguna mentira. Los boletos para ir a visitar a la abuela están debajo de sus almohadas. Disfruten su viaje".

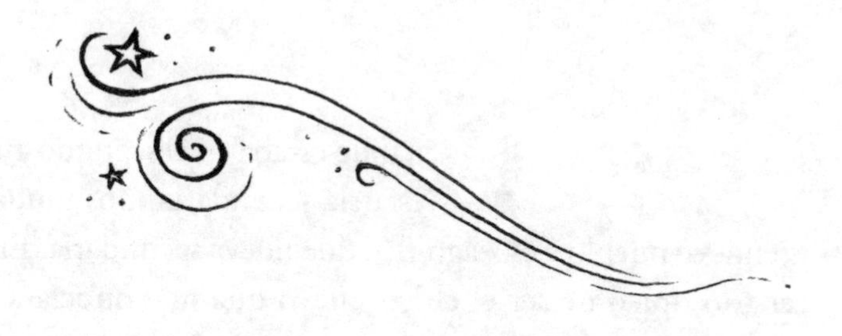

Mira otra vez

Muchas veces, lo que se discute es lo que los chicos hacen mal.
Sin embargo, los éxitos y lo bueno en todos nosotros es mucho mayor que los pocos problemas que se hacen ver tan grandes.

– Ryan Timm
Discurso de graduación, Escuela Secundaria Bend

Párate firme

Steve Farrar
Tomado de "Standing Tall" (Párate firme)

Cuando estaba en el segundo año de la escuela secundaria, nos mudamos a un nuevo pueblo y eso significó una nueva secundaria. Era el escenario típico de ser el chico nuevo que no conocía a nadie. Una de las formas más rápidas de hacer amigos en esa situación es inscribirse para practicar un deporte. En más o menos dos días, conoces a más chicos de esta forma de los que puedes conocer en tres meses.

Normalmente, yo me habría inscrito para jugar baloncesto, pero había hecho algo muy tonto. Traje una "D" en mi última libreta de calificaciones. La única razón por la que había obtenido una "D" fue que me dediqué a jugar en clase, y no entregué mis tareas a tiempo. Papá tenía una regla para los tres chicos en nuestra familia, y la regla era ésta: si cualquiera de nosotros obtenía una nota menor a una "C" en una clase, no podíamos practicar deportes. No pedía que sacáramos sólo "A" o que fuéramos alumnos de honor. Papá sabía que la única razón por la que cualquiera de nosotros podía recibir una "D" era por estar perdiendo el tiempo en lugar de actuar de manera responsable.

Como resultado, no me pude inscribir en el equipo de baloncesto. Ahora papá no me dejaría jugar. Él había sido seleccionado tanto en el equipo de baloncesto como en el de fútbol cuando estuvo en la secundaria. Asistió a la universidad por una beca de baloncesto, y después de la Segunda Guerra Mundial le ofrecieron un contrato para jugar fútbol americano con los Steelers de Pittsburgh. Quería que yo jugara, pero le interesaba más que desarrollara mi carácter. Papá tenía metas para mí a largo plazo que eran más importantes que los deportes. Él sabía que sería bueno para mí vivir con la consecuencia de asistir de público a los partidos durante una temporada.

Un día, estaba en mi clase de educación física y estábamos jugando baloncesto. No lo sabía, pero el entrenador de la selección estaba en las bancas observando el juego de práctica. Después de que fuimos a los casilleros, se me acercó y me preguntó quién era y por qué no estaba en el equipo. Le dije que recién nos acabábamos de mudar al pueblo y que me inscribiría el próximo año. Dijo que me quería en el equipo ese año.

Le dije que papá tenía una regla sobre las notas bajas.

El entrenador me dijo: "Pero de acuerdo con las reglas de la escuela, aún puedes jugar aunque tengas sólo una 'D'".

"Sí, señor, lo sé", respondí, "pero usted tiene que comprender que mi padre tiene sus propias reglas en cuanto a participar en deportes".

"¿Cuál es tu número de teléfono?", me preguntó el entrenador. "Llamaré a tu padre".

Respondí: "Con mucho gusto le voy a dar mi teléfono, pero será una pérdida de tiempo de su parte".

Este entrenador era un tipo grande y agresivo. Medía como un metro ochenta y cinco centímetros, y pesaba más de cien kilos, lo cual lo hacía unos tres centímetros más bajo y unos diez kilos más pesado que papá. El entrenador estaba acostumbrado a salirse con la suya, pero no había conocido a mi padre. Yo sabía mucho antes que el entrenador lo llamara, cuál sería la respuesta de mi padre.

¿Era papá capaz de cambiar? Claro que sí. ¿Iba a cambiar de parecer por haber recibido una llamada del entrenador del equipo? Por supuesto que no. Muchos padres se habrían sentido tan orgullosos que habrían comprometido su posición.

Esa noche, después de la cena, papá me dijo que el entrenador lo había llamado. Me dijo que le había dicho al entrenador que no, y luego me recordó la importancia de ser responsable en clase, y de que realmente quería que jugara baloncesto, pero que todo dependía de mí. Si quería jugar, ya sabía lo que tenía que hacer. A ese punto, yo estaba muy motivado para trabajar en clase y poder jugar en la siguiente temporada.

La mañana siguiente, el entrenador se me acercó en los casilleros.

"Hablé con tu padre ayer y no cederá. Le expliqué que la elegibilidad de la escuela gobierna, pero él no cambiará su parecer. No tengo mucho respeto por tu padre".

No podía creer lo que estaba oyendo. *Este entrenador no respetaba a mi padre*. Aún yo tenía el suficiente sentido común para saber que papá estaba haciendo lo correcto. Claro que quería jugar baloncesto, pero sabía que papá era un hombre de palabra y que tenía razón al no dejarme jugar. No podía creer que este entrenador dijera semejante cosa.

"Entrenador", le dije, "quiero decirle que yo tengo un alto respeto por mi padre, y también quiero que sepa que nunca jugaré baloncesto en su equipo".

Nunca lo hice. Subí mis calificaciones, pero nunca entré al equipo de baloncesto. Me rehúsaba jugar bajo la guía de un hombre que no respetaba a mi padre por hacer lo correcto. Ese fue el final de mi carrera de baloncesto en la secundaria, porque el hombre siguió siendo el entrenador de nuestro equipo.

¿Por qué no jugaría yo bajo su liderazgo? Porque él no respetaba a mi padre. Si él no tenía el sentido para respetar a mi padre, yo no jugaría bajo su dirección. Si lo pienso con más atención, la verdadera razón por la que no me uniría a su equipo, era porque no lo respetaba a *él*. Él comprometía sus principios y me daba la impresión de que haría cualquier cosa por ganar. Mi padre era un hombre de convicción y de carácter, y cualquier entrenador que no pudiera ver eso, no era alguien con quien yo me quisiera relacionar. Papá era estricto y no estaba dispuesto a cambiar su convicción aunque le doliera que no jugara baloncesto. Papá era capaz de cambiar, pero no estaba dispuesto a cambiar porque tenía un objetivo para mi vida a largo plazo que el entrenador no tenía.

El entrenador quería ganar partidos.

Papá quería formar un hombre de valor.

Debí haber dicho algo a...

CHRISTY SIMON

TOMADO DE LA REVISTA "CAMPUS LIFE" (VIDA EN LA UNIVERSIDAD)

La clase de composición empezó en forma tranquila ese día. Yo estaba tomando notas mientras que el profesor daba su lección.

Hasta allí, nada fuera de lo común, pero luego, sucedió. El profesor presentó el tema de "selección de palabras apropiadas en nuestra escritura diaria". Tan pronto como mencionó el tema, un alumno levantó la mano y con una gran sonrisa preguntó: "¿Puedo recitar las siete palabras obscenas que *no* se deben usar?"

Me dio la impresión de que él no quería hacerlo por "educación". Estaba segura de que el profesor pondría un alto a esta "pequeña broma".

Estaba equivocada.

"¿Se ofendería alguien?", preguntó el profesor casualmente.

No se levantó ninguna mano. Nadie dijo nada.

Así que mi compañero de clases soltó su lista de siete palabras obscenas. Y no lo hizo solamente una vez, lo hizo dos veces.

El reloj nunca había caminado más lento que esos veinte segundos que le tomó a mi compañero repetir las palabras. El profesor permaneció en silencio. La clase se rio con disimulo y luego victoreó, como si hubiera hecho algo grandioso. Yo volteé la cara y fijé la mirada sobre mi cuaderno. La cabeza me empezó a dar vueltas y sentía una sensación de náusea en la boca del estómago. *Debiste haber dicho algo*, me decía a mí misma.

No era como que yo nunca había escuchado palabras obscenas. Ya las había escuchado, en los casilleros, en los pasillos, o en la cafetería y usualmente no había nada más que podía hacer que pasarlas por alto y seguir adelante.

Pero esto había sido distinto. En esta situación en particular, no tenía que escuchar esas palabras. El profesor me había dado la opción. Pude haber levantado la mano y dicho: "Sí, yo me ofendería", pero no lo hice.

A pesar de lo mal que me sentí, aprendí algo importante en esa clase, algo que recordaré por mucho más tiempo que las "siete palabras obscenas". Al no pararme firme en lo que yo creo, permito que el mundo a mi alrededor se lleve un trocito de las cosas que más valoro. Dejo que el mundo se lleve una pequeña parte de mi carácter. Cierto, es sólo un trocito, pero los trocitos se empiezan a sumar y antes de que pase el tiempo, no quedará mucho.

Esa experiencia me hizo tomar la determinación de que debo hacer valer mi opinión cuando sienta que debo hacerlo. No siempre será fácil, quizá sienta vergüenza en algunas ocasiones, pero al menos podré mirarme al espejo después y decirme a mí misma: "Hiciste lo correcto".

Llámame

CYNTHIA HAMOND

"Sé que está aquí, en algún lugar". Cheryl suelta su bolsa de libros a sus pies para poder buscar entre los bolsillos de su chaqueta. Cuando tira su cartera sobre la mesa, todos en la línea de espera detrás de ella se quejan.

Cheryl echa una mirada al reloj del comedor. Faltan solamente tres minutos para que suene el timbre y éste es el último día para ordenar un anuario si quieres que tu nombre salga impreso en letras doradas en la portada. Cheryl quería, si tan sólo pudiera encontrar su billetera. La línea empieza a moverse a su alrededor.

"Vamos, Cheryl", le dice Darcy con impaciencia, "llegaremos tarde a clase".

"¡Por favor, Darcy!", Cheryl reacciona. Sean mejores amigas o no, Darcy y Cheryl siempre se sacan de sus casillas. Simplemente es que son demasiado diferentes. Hoy es un buen ejemplo. Darcy había "presupuestado" lo de su anuario y lo ordenó el primer día de clase, mientras que Cheryl ya casi lo olvidaba… otra vez.

"Darcy, mi billetera desapareció". Cheryl tira todas sus cosas dentro de su cartera de nuevo. "Allí estaba el dinero de mi anuario". El timbre interrumpe su búsqueda.

"Alguien la tomó", Darcy, como siempre, fácilmente señala más lejos del lado brillante de las cosas.

"Oh, estoy segura de que la debo haber dejado en algún lugar", dice Cheryl, esperanzada.

Se apresuran a clase antes que suene el segundo timbre. Darcy toma el papel principal del problema de Cheryl y felizmente riega la noticia del robo.

Cerca del gimnasio, en el último período, Cheryl está cansada de que la estén deteniendo y de decir una y otra vez: "Estoy segura de que debo haberla dejado en casa". Apresurándose a los casilleros se cambia rápidamente y revisa la lista pegada cerca de la puerta para ver dónde está jugando fútbol su equipo, y se apresura para ir a ese lugar.

El juego fue muy intenso, y el equipo de Cheryl es el último en volver a los casilleros.

Darcy está de pie esperando a Cheryl junto a su casillero. Cheryl pasa a Juanita, la chica nueva, en una carrera. Es la mirada de sorpresa en la cara de Darcy y los comentarios a su alrededor lo que la detienen.

Allí, a sus pies, está su billetera.

"¡Se cayó de su casillero!", dice Darcy señalando a Juanita. "Ella la robó".

Todas hablan al mismo tiempo.

"La chica nueva la robó".

"Darcy la agarró con las manos en la masa".

"Sabía que había algo raro en ella".

"Hay que reportarla".

Cheryl se da vuelta y mira a Juanita. Realmente nunca le había puesto atención más allá de su etiqueta de "chica nueva".

Juanita recoge la billetera y la sostiene para dársela a Cheryl. Sus manos tiemblan. "La encontré en el estacionamiento. Iba a entregártela antes del partido, pero llegaste tarde".

Las palabras de Darcy suenan muy duras. "¡Claro, por supuesto que eso ibas a hacer!"

"De verdad, es cierto", la voz de Juanita suena como un ruego.

Cheryl duda. Los ojos de Juanita se empiezan a llenar de lágrimas.

Cheryl recibe su billetera.

"Me alegra que la hayas encontrado", Cheryl sonríe, "gracias, Juanita".

La tensión a su alrededor se disipa. "Qué bueno que la encontró". Todas, excepto Darcy, están de acuerdo.

Cheryl hace otro cambio rápido y luego cierra la puerta del casillero. "Apresúrate, Darcy, todavía hay suficiente tiempo para ordenar un anuario".

"*Si acaso* queda todavía dinero en tu billetera".

"¡Ahora no, Darcy!"

"¡Es que eres tan ingenua!"

No es sino hasta que están paradas en la línea que Cheryl abre la billetera. "Todo está aquí". Cheryl no puede evitar sentirse aliviada y un trozo de papel cae de la billetera.

"Lo que pasa es que no tuvo tiempo de vaciarla", dice Darcy agachándose para recoger la nota. "Conozco a ese tipo de gente. La tenía en la mira desde el primer día", y le entrega la nota a Cheryl.

Cheryl la lee y luego mira a Darcy. "Claro que la tenías en la mira. Quizás ése es el problema, creo que pasas demasiado tiempo poniendo a la gente en la mira".

Darcy toma la nota, la lee y se la tira de vuelta a Cheryl. "¡Como sea!", dice y se va dando taconazos.

Cheryl lee la nota otra vez.

Cheryl,

Encontré tu billetera en el estacionamiento. Espero que no le falte nada.

Juanita

P.D. Mi teléfono es 555-3218. Quizá puedas llamarme.

Y Cheryl lo hizo.

El chico del basurero

PHILIP GULLEY

TOMADO DE "HOME TOWN TALES" (CUENTOS DE MI PUEBLO NATAL)

Cuando tenía nueve años, mis padres compraron una casa en el extremo sur del pueblo, camino al basurero. La posición de una familia podía medirse por la proximidad de su vivienda al basurero. Éramos clase media y vivíamos bastante lejos del basurero, aunque nos llegaba el mal olor unos dos o tres días al mes. Esto nos recordaba que éramos lo suficientemente ricos para evitar el olor la mayor parte del tiempo, pero que aún no teníamos el suficiente dinero como para escapar del todo del problema.

Al final del camino, en dirección al basurero, vivía una vieja mujer y dos niños. No había ningún hombre, sólo esa mujer y aquellos dos niños en una casa pintada de color blanco, sucia, cuya entrada era un angosto camino de piedra. Era difícil distinguir dónde terminaba la casa y empezaba el basurero.

El chico subía a jugar con nosotros. Cuando los niños juegan, emerge una ley natural del más fuerte, los de arriba y los de abajo. Él era de los de abajo, y nosotros, los de arriba, disparábamos nuestras flechas de maldad en su dirección. Él respondía como lo haría un perrito acorralado, con gruñidos, mordidas y arremetidas, que sólo servían para confirmar nuestro concepto de él, un chico salvaje, descontrolado, un chico del basurero.

Cuando se caldeaban los ánimos, se desenvainaban armas poderosas y potentes: "¡Más te vale dejarme solo o le diré a mi papá que te pegue!" Con esta arma, él no parecía poder contraatacar. No había una respuesta en tono elevado de "¿Ah, sí? ¡Pues yo traeré a mi papá para que le pegue al tuyo!" Sólo había silencio, se daba la vuelta y caminaba hacia el basurero.

Ahora no puedo recordar cómo llegamos a enterarnos, pero de alguna manera llegamos a saber, que su padre y su madre habían muerto y que la vieja mujer era su abuela. Recuerdo, sin embargo, que no tuvo ningún efecto sobre nosotros; la maldad continuó. A pesar del pensamiento popular, la gentileza no es algo con lo que nacemos; es algo que se nos enseña y nosotros aún no lo habíamos aprendido.

La lección nos llegó durante un juego de baloncesto cuando alguien dio un codazo y el chico del basurero culpó a mi hermano. Volaron los puñetazos, la ira desbordaba sobre mi hermano, que no levantó ni una mano para defenderse. Mi hermano, que apenas la semana pasada había perseguido al chico del basurero hacia su casa y le había tirado piedras, ahora estaba tieso como una roca mientras que el chico le pegaba. Era tal su furia como nunca antes. El chico del basurero estaba sacando todo el dolor que había recibido en su vida: la visita a medianoche de un policía explicando que mami y papi no regresarían a casa, las burlas de los chicos que lo castigaban por la casa de su abuela, las flechas de maldad que cortaban el aire y después su alma. Era una lluvia de furia.

"¡Pégale, pégale!", le gritábamos a mi hermano, pero él no levantó una mano, y, después de un rato, el chico del basurero, cansado de la fácil golpiza se fue a su casa. Asaltamos a mi hermano con preguntas, exigiendo una explicación por su timidez en la batalla. Él murmuró algo de no poder pegarle a un chico que había perdido a sus padres, que ya había sido golpeado lo suficiente por la vida.

Yo no entendí entonces, y todavía tengo dificultad con su significado, cómo la gentileza nunca es real sino hasta que la furia lleva nuestra dirección. No entiendo cómo puedo ser gentil con mi hijo; pero pienso mal del hombre que lleva ocho artículos en la fila de siete artículos en el supermercado. Esos actos pequeños, separan a la gentileza de nuestro corazón.

Jesús sabía esto, no sólo en su cabeza, sino en su corazón, que la gentileza, de todos los frutos, es el más difícil de cultivar. Es fuerte nuestra tendencia de devolver la bofetada, lanzar la piedra o soltar un insulto, hasta que se nos quebranta el corazón. ¿Por qué es que la gentileza debe brotar de suelo rocoso, de la dificultad, de la tierra suavizada con lágrimas?

Un día, le pedí a Dios que me enseñara gentileza, y me senté, esperando que lo bueno pasara. En lugar de eso, Dios me mostró dolor, y así empezó mi educación.

El chico del basurero se mudó al año siguiente. No lo he visto desde entonces, ni siquiera sé si está vivo. Espero que su vida sea feliz, que se haya casado bien, y que tenga hijitos que se suban a su regazo y le digan nombres dulces, no como los que le dijimos nosotros.

¿Te estás preguntando dónde está tu hijo?

TIM HANSEL
TOMADO DE "WHAT KIDS NEED MOST IN A DAD"
(LO QUE MÁS NECESITAN LOS HIJOS DE UN PADRE)

A lo largo de sus vidas, mamá y papá dieron silenciosamente, aún cuando no veían los resultados. Ambos tuvieron que hacer numerosos sacrificios mientras mi hermano y yo crecíamos. Ambos tenían dos empleos para poder cubrir el presupuesto.

Mi hermano, Steve, era un buen alumno y el presidente de su clase de último año. Yo traté de seguir sus pasos, aunque tenía una inclinación un poco salvaje algunas veces. Trabajaba duro para ser un buen alumno y un buen atleta. Logré llegar a la directiva estudiantil, que en parte fue, gracias a algunos éxitos en el equipo de fútbol. Mi último año me escogieron para los equipos de la ciudad, y el estatal.

La noche antes de uno de mis mayores triunfos, sin embargo, le fallé a mi padre de una manera atroz, y fue allí que él demostró su habilidad como líder servidor. Acabábamos de ganar la final de fútbol; que significaba que iríamos al campeonato estatal. A algunos de nosotros nos habían informado que, por haber ganado ese año, iríamos al campeonato estatal el año siguiente. Decidimos que ese éxito merecía una celebración.

Muchos de nosotros, los jugadores, nos reunimos, y de verdad celebramos, con demasiado exceso. Habíamos conseguido cerveza en algún sitio y, de acuerdo a nuestra lógica de escuela secundaria, pensábamos que mientras más bebiéramos, más estaríamos celebrando. Bebimos demasiado.

Un policía pasaba por allí y nos vio en un estacionamiento detrás de unas tiendas. Haciendo su trabajo, vino a investigar y descubrió que varios de nosotros estábamos bastante ebrios.

El policía llamó para pedir apoyo. Luego, en mi opinión, empezó a dar empujones a algunos de mis amigos. Considerando que yo era de la directiva estudiantil, sentí que era mi deber defenderlos; terminé tratando de forcejear con el policía. Esa no fue una buena idea.

Lo siguiente que hizo el policía fue pedir un automóvil patrullero. Veinte minutos más tarde, todos íbamos camino a la cárcel. Esa noche fue una de las más largas de mi vida. Como a las cinco de la mañana, al día siguiente, justo a la hora que llegaba el periódico a casa con mi foto, pues yo era un atleta de la ciudad y el estado, mis padres recibieron una llamada del jefe de la policía.

"Señor y señora Hansell, ¿se preguntan ustedes dónde está su hijo? Los llamo desde la cárcel de la ciudad para pedirles que vengan a buscarlo".

Puedo imaginarme lo largo que ese viaje al pueblo debe haber sido para mis padres. Cuando llegaron vieron a un grupo de jóvenes abatidos. Otros padres también llegaron y tuvieron que encarar la misma decepción. Sus hijos, que apenas unas cuantas horas antes habían sido fuente de tanto orgullo, habían fallado en forma cruel.

Mi madre y mi padre entraron y nunca olvidaré el momento en que sus ojos se encontraron con los míos. Deben haberse estado preguntando si todos sus sacrificios habían valido la pena, pero, nunca dijeron una palabra.

Nos subimos al automóvil. El sol estaba saliendo y las lágrimas corrían por mis mejillas. Finalmente, no pude soportar el silencio y exploté: "¿No vas a decir algo, papá?"

Después de una pausa que probablemente me pareció más larga de lo que realmente fue, mi padre habló finalmente. "Seguro, vamos a casa y tomaremos desayuno, hijo".

Esas fueron las únicas palabras que dijo, en un momento en que le fallé de esa forma cruel, me recordó que yo era su hijo. En un momento en el que yo sentía el más profundo remordimiento y me sentía un fracaso total, él dijo, en efecto: "Sigamos adelante".

En los años siguientes, él nunca me recordó el incidente. Simplemente continuó amándome por quién yo era, y en quién podía convertirme.

¿Un super papá? Realmente no. Tenía todo tipo de asperezas y varias fallas.

¿Un padre servidor? De hecho.

El enojo es un viento que apaga la mente.

– Robert Ingersal

El cheque ganador

TOMADO DE "GOD'S LITTLE DEVOTIONAL BOOK"
(EL PEQUEÑO LIBRO DEVOCIONARIO DE DIOS)

No se le dio mucha cobertura de prensa al golfista Argentino Roberto De Vincenzo, pero una historia de su vida muestra su grandeza como persona.

Después de ganar un torneo, De Vincenzo recibió su cheque en el hoyo dieciocho, sonrió para las cámaras, y luego caminó solo hacia la casa club. Cuando llegó a su automóvil, se le acercó una joven mujer de ojos tristes que le dijo: "Este es un buen día para usted, pero yo tengo un hijo con una enfermedad incurable. Es en la sangre y los médicos dicen que va a morir". De Vincenzo hizo una pausa y luego le preguntó: "¿Puedo ayudar a su pequeño hijo?" Tomó entonces un lapicero, endosó el cheque ganador y luego se lo puso en las manos a la mujer. "Haga lo mejor que pueda para su hijo con esto", le dijo.

Una semana más tarde, mientras almorzaba en un club, se le acercó un representante de la Asociación de Golfistas Profesionales y le dijo: "Algunos de los chicos del estacionamiento me dijeron que conoció usted a una joven mujer después de ganar el torneo". De Vicenzo asintió. El representante le dijo: "Esa mujer es una farsante. No tiene ningún hijo enfermo. Lo engañó, amigo mío".

El golfista lo miró y le preguntó: "¿Quiere decir que no hay ningún bebé que se esté muriendo sin esperanza?" Esta vez el representante de la asociación asintió. "Esa es la mejor noticia que he recibido en toda la semana".

Significado

Nos damos cuenta de que lo que estamos logrando
es sólo una gota en el océano.
Pero si esa gota no estuviera en el océano,
haría falta.

–Madre Teresa

¡Estás fuera!

CLARK COTHERN
TOMADO DE "AT THE HEART OF EVERY GREAT FATHER"
(EN EL CORAZÓN DE TODO GRAN PADRE)

Mi padre me dio un gran ejemplo de autocontrol cuando era niño y estábamos en un partido de béisbol de la liga de la iglesia.

Papá tenía cuarenta y tres años entonces y era muy activo. Aunque no se le conocía por ser muy buen bateador, era bueno en atajar la pelota y tirarla a la base correspondiente para evitar que el jugador del equipo contrario lograra una base. Su especialidad eran los simples y dobles, y daba lo mejor de sí mismo.

Esa particular tarde calurosa y polvorienta en Phoenix, papá bateó la pelota justo sobre la cabeza del hombre en la segunda base, y el centro campista falló la atajada y dejó la pelota caer entre sus piernas.

Papá vio esto mientras corría a la primera base, así que apresuró el paso. Medía un metro y setenta y cinco centímetros, pesaba unos 80 kilos, y era muy rápido. Se imaginó que si corría a la tercera y se deslizaba en la base, podría ganarle al tiro.

Todos vitoreaban mientras dos de sus compañeros jugadores corrían hacia la base meta. El centro campista finalmente tomó la pelota mientras que papá corría a la tercera base. El tiro fue tan duro y rápido como podía lanzarlo el jardinero, y papá empezó una larga deslizada. Voló polvo por todas partes.

La pelota pegó fuertemente en el guante del hombre en la tercera base, pero al otro lado de papá, el lado de afuera del campo, lejos de una vista clara del árbitro que estaba todavía en la base meta. El área de espera de nuestro equipo estaba del lado de la tercera base del diamante y todos los jugadores vieron la jugada con claridad.

El pie de papá cayó sobre la tercera base un segundo antes que la pelota llegara y que el jugardor en tercera le tocara la pierna; para sorpresa, luego desilusión, y después cólera del equipo, el árbitro, que dudó un poco antes de anunciar, gritó: "¡Estás fuera!"

Instantáneamente, todos los miembros del equipo de papá salieron al campo y empezaron a gritar a una voz. Ellos estaban enfocados en un solo propósito: ¡Querían ganar y sabían por todos los medios que tenían razón!

Los dos corredores que habían llegado a la base meta antes que sacaran a papá, habían llevado el marcador a un solo punto de diferencia. Si papá estaba fuera, y todos sabíamos que no era así, a su equipo se le quitaba una carrera.

Quedando un sólo período, este error del árbitro podía costarles el partido, pero cuando la situación amenazaba con convertirse en un disturbio, papá calló a la multitud. Mientras el polvo se asentaba a su alrededor, levantó una mano. "¡Oigan todos, deténganse!", gritó, y luego, más gentilmente dijo: "Hay más en juego aquí que tener la razón. Hay algo más importante aquí que ganar un partido. Si el árbrito dice que estoy fuera, *estoy fuera*".

Y con eso, se sacudió el polvo, se fue cojeando a la banca para recoger su guante (se lastimó la pierna en la deslizada), y fue de regreso a la izquierda del campo para prepararse a jugar el último período. Uno por uno, los muchachos en su equipo dejaron la alegata, recogieron sus guantes y salieron a tomar sus posiciones en el campo.

Tengo que decirles que me sentí perplejo y orgulloso esa noche. El carácter de mi padre se estaba mostrando y brillaba. Podía estar todo polvoriento, pero yo veía un diamante parado bajo las luces, un diamante más brillante que todos los puntos que su equipo hubiera podido acumular.

Por unos minutos, esa tarde yo me sentí muy rico, complaciéndome en la decisión de mi padre de ser hombre, de retener su lengua en lugar de dejarla actuar, de calmar los ánimos en lugar de ajustar un marcador. Sabía que su carácter en ese momento valía más que los trofeos plásticos de color dorado que pudiera ganar.

Papá dirigió el juicio esa noche y el veredicto fue firme, se le acusó de ser hombre, y la evidencia que lo comprobó fue su uso poderoso de esa arma inspiradora de asombro: el autocontrol.

Oportunidad

Cada uno de nosotros tiene una oportunidad de cambiar el mundo, no importa cuán grande o pequeño el efecto. Hemos hecho, y seguiremos haciendo del mundo un mejor lugar para vivir.

– Steven Hyde

Discurso de graduación, Escuela Secundaria Sisters

No nos descubrirán

Alan Cliburn

Tomado de "WWJD Stories For Teens"
(Historias para adolescentes de ¿Qué haría Jesús?)

Era la tarde del martes y Joel y yo íbamos de regreso a la bodega. No podía creer que de hecho me iban a pagar bien por manejar por todo el pueblo, pero tampoco estaba reclamando. Había más qué hacer que sólo manejar, por supuesto. Joel y yo entregábamos órdenes para Office Warehouse, que incluían mobiliario como escritorios y gabinetes de archivo.

Ese martes en particular, estaban reparando el camión, y el señor Kramer nos dejó sacar uno de los automóviles de la compañía. Afortunadamente no había que entregar muebles, sólo paquetes. Uno solo de los dos podría haber hecho las entregas, pero el señor Kramer quería que fuéramos los dos.

"Más vale que empieces a aprender todo lo referente al papeleo, Sam", me dijo antes que saliéramos de la bodega.

El manejo del papeleo era facilísimo. Solo teníamos que hacer que alguien firmara por la mercancía en cada parada. Teníamos varias entregas en el mismo vecindario, quizá por eso terminamos tan rápido.

"Oye, gira a la izquierda en la próxima esquina", dijo Joel de repente, "hemos trabajado bastante por una tarde, tomémonos un receso. Detente allí frente a Harry's". Harry's era un "centro de recreación familiar", con juegos de video y cosas similares.

"¿Estás bromeando?", le respondí. "Tenemos que volver a la tienda, el señor Kramer sabe que no teníamos muchas entregas. Además..."

"Tranquilo", me interrumpió Joel. "Quiero decir, ¿podrías dejar que yo me encargue de todo? Te garantizo que todo saldrá bien".

Abrió la portezuela y se bajó, pero yo me quedé detrás del volante. Joel siempre estaba excediéndose de los límites, y hasta aquí no lo habían descubierto. Esto era distinto, esta vez me estaba pidiendo que fuera con él.

"¿Vas a venir o no?", exigió.

"No lo sé", respondí, "no me parece correcto".

"No seas tan cuadrado", me dijo, "¿o es que divertirse va en contra de tu religión?"

Por un segundo deseé no haberle dicho nada a Joel de mi fe, pero lo había hecho. "Sabes que creo en trabajar por lo que me pagan, y el señor Kramer no me está pagando para jugar".

"Kramer no se enterará", dijo Joel, recostándose en la ventanilla de su lado del automóvil. "¿Cuál es el problema? ¿Es que ustedes los cristianos no pueden hacer nada?"

Eso fue el colmo. Lo último que quería era darle a Joel una impresión negativa de mi fe, pero al mismo tiempo, no era lo suficientemente tonto como para ceder con eso. Sin embargo, estaba tentado. "¿Qué vamos a decirle al señor Kramer si llegamos una hora tarde?"

Joel sonrió. "¡Que tuvimos que cambiar neumático!"

"Sí, pero no tuvimos que hacerlo. Además, querrá ver un recibo si es que lo reparamos".

"No lo reparamos", me informó Joel. "Solamente pusimos el neumático de repuesto nosotros mismos. Tuvimos un poco de problemas levantando el vehículo, por eso nos demoramos tanto. ¡No nos descubrirán, vamos!"

Sabía que nunca alcanzaría a Joel si pensaba que el cristianismo no era más que reglas y regulaciones. Podía trabajar la hora extra en la bodega más tarde, y el señor Kramer no notaría la diferencia. Sin embargo, algo me decía que seguía siendo malo, sin importar cuánto lo razonara.

"Volveré a trabajar, Joel", me escuché decir a mí mismo.

"No seas un aguafiesta", empezó.

Mi respuesta fue encender el motor del automóvil. Él entró y cerró la puerta de un portazo. "No olvidaré ésta, Turner", me dijo con enojo.

"Volvieron temprano", dijo Rex Keller mientras yo estacionaba el vehículo. Él manejaba la plataforma de carga y descarga para el señor Kramer.

"Sí, así es", respondió Joel, lanzándome una mirada de enojo.

"Fue una carga ligera", agregué, sin hacerle caso a Joel.

"Nos hace falta ayuda adentro", continuó Rex.

"Gracias a ti, trabajaremos en esa bodega caliente toda la tarde, cuando podíamos estar en Harry's", me susurró Joel.

Joel no bromeaba respecto a la bodega, era como un horno, con muy poca ventilación. Debo admitir que dudé un poco de mi decisión cuando empecé a sentir el sudor correr por mi cuerpo unos minutos más tarde. Joel mantuvo su distancia trabajando al otro extremo del edificio. Hasta ese día, nos habíamos llevado bastante bien, a pesar de nuestras diferencias.

"Joel, Sam, quiero verlos en mi oficina", anunció el señor Kramer. Su oficina estaba fresca, pude haberme quedado allí el resto del día. "¿Hay alguna razón por la que no entregaste tu papeleo de la ruta, Joel?", preguntó el señor Kramer.

Joel me dio una mirada de superioridad y malicia. "Sam estaba a cargo del manejo de los papeles hoy", respondió.

"¡Oh, no!" dije, "¡los dejé en el automóvil! Ahora vuelvo", me levanté y me dirigí a la puerta.

"Puedes traerlos más tarde", me dijo el señor Kramer. "Siéntate, Sam. Realmente los llamé para felicitarlos por el trabajo que ambos han estado haciendo últimamente. No he recibido más que buenos informes de los clientes por el servicio cortés y rápido que ustedes han estado prestando".

"Muchas gracias", le dije.

"Sí, gracias", agregó Joel.

"Un trabajo de este tipo requiere de hombres que sean dignos de confianza", continuó el señor Kramer. "Una vez que ustedes dejan la tienda, están prácticamente solos. Desafortunadamente, no todos pueden manejar este tipo de libertad y debo admitir que me sentía un poco aprehensivo respecto a contratar chicos de su edad". Joel y yo solamente escuchamos.

"Bueno, nada de eso", siguió el señor Kramer, "ahora tengo total confianza en ustedes y espero que estén con nosotros por mucho tiempo".

"Está bien conmigo", dijo Joel.

"Conmigo también", dije, "sólo que tendré que trabajar medio tiempo cuando empiecen las clases".

"Sí, entiendo", respondió el señor Kramer, "de hecho, tu honestidad cuando solicitaste el empleo fue una de las razones por las que te contraté". "Ah, él sí que es honesto", dijo Joel, dándome una mirada. Naturalmente, el señor Kramer no entendió el sarcasmo de su comentario.

"Vuelan a su trabajo ahora", nos dijo el señor Kramer. "Por cierto, ¿tuviste algún problema con el automóvil, Sam?"

Fruncí el ceño. "¿Problema? No, ninguno".

"Qué bien. Después que se fueron, recordé que el automóvil que se llevaron no tiene neumático de repuesto", explicó el señor Kramer. "Ya veremos que no vuelva a suceder".

Joel tragó fuertemente. "¿No tiene neumático de repuesto?", repitió Joel.

"Me alegra que no hayan tenido que cambiar un neumático", dijo el señor Kramer con una sonrisa. "Eso es todo. Ah, entrégame esa hoja de ruta tan pronto te sea posible, Sam".

"Sí, señor", dije, saliendo rápidamente de la oficina. Joel iba detrás de mí.

"Oye, Sam, ¡espera!", dijo en voz baja.

"Tengo que ir por esa hoja", respondí tratando de no reírme.

"¿Sabías que no teníamos neumático de repuesto?", Joel quería saber.

"No, por supuesto que no", le respondí.

"Oye, mira si le hubiera dicho a Kramer que tuvimos que cambiar un neumático…"

"Pero no lo hiciste", le recordé, "mejor voy por esa hoja". Me apresuré al estacionamiento, sonriendo todo el camino. ¡Joel y su treta asegurándome de que no nos descubrirían! Si hubiera cedido a la tentación y le hubiera seguido la corriente, habría hecho algo deshonesto, y estaría sin empleo.

La caja de herramientas

JOSHUA HARRIS
TOMADO DE "I KISSED DATING GOODBYE"
(LE DIJE ADIÓS A LAS CITAS AMOROSAS)

Hace poco tiempo, mi padre y mi hermano menor, Joel, fueron a la fiesta de cumpleaños de Stephen Taylor, uno de los mejores amigos de Joel. Fue una ocasión muy especial. Stephen cumplía trece años y su padre quería que su entrada a la edad adulta fuera memorable. Los obsequios bonitos no serían suficientes; el padre de Stephen quería impartirle sabiduría. Para lograr esto, les pidió a los padres que acompañaran a sus hijos a la fiesta y que trajeran un regalo especial, una herramienta que usaran en sus ramas específicas de trabajo.

Cada padre le entregó su herramienta a Stephen, junto con una "lección de la vida" para la "caja de herramientas" de principios que Stephen usaría en su vida. Las herramientas eran tan diferentes como los hombres que las empleaban. Mi padre le regaló a Stephen un lapicero de alta calidad, y le explicó que usaba un lapicero no solamente para escribir sus ideas, sino también representaba su palabra cuando firmaba un contrato.

Durante la entrega de los regalos, un padre que era constructor de casas, le dio a Stephen una caja pequeña. "Dentro de esa caja está la herramienta que más utilizo", le dijo. Stephen la abrió y encontró una herramienta para sacar clavos.

"Mi 'sacaclavos', tan sencillo como parece", explicó el padre, "es una de las herramientas más importantes que tengo". Este padre contó la historia de cómo, una vez, mientras construía una pared, descubrió que estaba torcida. En lugar de detener la construcción y deshacer parte del trabajo para componer la pared, decidió proceder, con la esperanza de que el problema desapareciera conforme continuara la construcción. Sin embargo, el problema solamente empeoró. Llegó un momento en que, con gran pérdida de material y tiempo, tuvo que echar abajo la pared casi terminada y reconstruirla en su totalidad.

"Stephen", dijo ese hombre con seriedad, "vendrán tiempos en tu vida en que te darás cuenta de que has cometido un error. En ese momento, tienes dos opciones: puedes tragarte tu orgullo y 'sacar un par de clavos', o, tontamente puedes seguir tu curso, esperando que el problema desaparezca. La mayor parte de las veces, el problema sólo empeorará. Te estoy dando esta herramienta para recordarte este principio: cuando te des cuenta de que has cometido un error, lo mejor que puedes hacer, es derribarlo y empezar de nuevo".

Un paseo de diversión

SUZY RYAN

Mientras yo crecía, adoraba a mi padre. Puesto que mis padres se habían divorciado en términos no muy amigables, cuando yo tenía cuatro años, no veía a papá muy seguido. Lo visitaba cada dos fines de semana y parte de mis vacaciones de verano. Cuando pasaba tiempo con él, sin embargo, él hacía algo que formó mi carácter. Me valoraba al escucharme, dándome confianza de que mis palabras eran importantes.

Los domingos por la noche, cuando papá conducía la hora de camino hacia mi casa, hablábamos sobre política, eventos actuales y deportes. Me trataba como se trata a una joven mujer con opiniones importantes.

A los catorce años, recuerdo un paseo en automóvil, lleno de silencio por lo que necesitaba decirle.

¿Se enojaría conmigo? ¿Pensaría menos de mí? Contuve el aliento y le conté mi historia.

Al principio de esa misma semana había pasado la noche en casa de mi amiga Judy. Como chicas del primer año de la secundaria, "pasar la noche", incluía hornear pasteles, jugar cartas y ver televisión. Para la medianoche, estábamos aburridas y allí fue donde su hermano Steve, de dieciséis años, entró en escena.

"Oigan, salgamos a dar un paseo en automóvil para divertirnos", sugirió Judy, "mamá y papá están durmiendo, y sólo conduciremos unas cuadras".

"No, Judy", le dije, "no tienes licencia, tus padres te matarían, además, estoy cansada y quiero dormir".

"Suzy, tú eres una aguafiestas", reclamó Judy, "¡vamos, libérate un poco! No arruines la diversión de todos. Te espero en el camión de papá".

Judy tiene razón, pensé. *Siempre tengo miedo de meterme en problemas. Quizá debería ser un poco más libre de espíritu, como ella. Realmente quiero caerle bien. Bueno, ¿cuál podría ser el problema si Steve viene con nosotras?*

Rápidamente, Steve y yo nos metimos al Ford, mientras que Judy encendía el motor. Con la música fuerte, salimos del garaje y empezamos a bajar por el interminable camino de piedra.

Como Judy vivía fuera de la ciudad, el horizonte se veía totalmente ennegrecido. *¡Esto es divertido! Me alegra no haber arruinado la diversión de todos.* Estaba sentada entre Steve y Judy, y por supuesto, no llevábamos cinturones de seguridad, ¡éramos invencibles! Judy iba conduciendo como a setenta kilómetros por hora, y con una sonrisa de maniática dio un giro brusco hacia la izquierda.

Oímos el ruido que hicieron las piedras al saltar como si fueran palomitas de maíz debajo del vehículo. Judy trató de estabilizar el camión, y luego compensó con un brusco giro a la derecha para llegar de nuevo al centro del camino. Desafortunadamente, el camión se fue demasiado lejos a la derecha, atravesando otra pila de rocas a la orilla del camino.

¡POP! ¡BAM! ¡POP! Las piedras golpeaban la parte de abajo del vehículo. Judy giró a la izquierda abruptamente y entonces, el volante del camión empezó a dar vueltas sin control. Íbamos en espiral de un lado del camino al otro. El vehículo estaba totalmente fuera de control. Súbitamente, Judy empezó a gritar y quitó las manos del volante para cubrirse la cara. En vano, tomé el volante tratando de evitar que siguiera girando.

"¡Frena!", le gritó Steve. El tiempo se detuvo mientras volábamos dentro de la cabina a la par que el camión seguía dando vueltas. Una sensación de flotar se adueñó de mí y pensé: *¿Es así como se siente morir?*

Esta pesadilla de montaña rusa desenfrenada se adueñó de nuestros cuerpos mientras seguíamos rebotando dentro de la cabina. Finalmente el camión se detuvo en la zanja.

Un ruido ensordecedor destruyó la neblina que me había envuelto y batallé para liberarme de los brazos, piernas y vidrio que me rodeaban. De alguna manera, Steve abrió la puerta y vi que el accidente había aplastado la parte de adelante del camión y quedó como un acordeón.

Entorpecidos, salimos del camión destruido sin un solo rasguño.

Aquí fue donde Judy salió corriendo y dijo: "¡Me voy a matar! Igual estaré muerta cuando papá se entere de lo que pasó". Steve y yo corrimos detrás de ella y la trajimos de vuelta al lugar del accidente. Aunque estábamos descalzos, decidimos correr las dos millas de vuelta a su casa. Nunca sentí una sola roca en los pies y tampoco me faltó el aire.

Tenía una sensación abrumadora de que Dios me había salvado la vida.

Tranquilamente le conté a mi padre la historia, él me escuchó sin hacer ningún comentario. Le dije cuánto lo sentía y lo avergonzada que estaba. "Sólo quería caerle bien a Judy", confesé. "Usualmente trato de hacer lo correcto pero no quería que Judy se enojara conmigo. He aprendido mi lección, papá. ¡Sé que no debía haber ido con ella! Hice mal. ¿Estás enojado?"

Papá no dijo nada; sólo me miró con los ojos húmedos. Finalmente me dijo: "Suzy, sólo me siento aliviado de que estés bien. Eres una chica lista que cometió un error. Sé que no volverás a hacerlo".

Más tarde papá me dijo: "No quise disciplinarte, porque sé que has aprendido la lección".

En ese momento tomé la determinación de que no dejaría que nadie me presionara para hacer algo que yo supiera que estaba mal. Papá nunca volvió a mencionar el incidente, y continuó hablándome como a una persona adulta de mente clara. Hoy en día, sé que mi empeño de aprender y actuar con sabiduría vienen de un padre que siempre creyó que su hija tenía algo importante que decir, y que siempre estuvo dispuesto a escucharme, aún cuando cometí errores.

Hacer llorar a Sarah

Cheryl L. Costello-Forshey

Se destacó entre sus amigos de la escuela,
Se unió a sus juegos infantiles,
Y se divirtió jugando
Cuando le ponían apodos a la pobre Sarah.
Sarah no era como los demás;
Era lenta y no tan lista
Y les parecía a todos sus amigos
Que había nacido sin corazón.
Y él tan alegremente se unía a la diversión
De hacer llorar a Sarah.
Pero en algún lugar de su corazón,
Nunca supo por qué lo hacía.
Porque escuchaba la voz de su madre,
Dándole lecciones sobre el bien y el mal
Una y otra vez en su mente
Como una canción.
"Trata a otros con respeto, hijo,
Tal como quieres ser tratado tú.
Recuerda, cuando lastimes a otros

Algún día, alguien te lastimará a ti".
Sabía que su madre no entendía
El propósito del juego
De molestar a Sarah, lo que los hacía reír
Mientras la niña lloraba sin consuelo.
Las caras tan graciosas que hacía
La forma en que caminaba,
O su tartamudeo al hablar,
Todo eso los motivaba a hacerla llorar.
Para él, ella debió merecerlo,
Porque nunca trató de esconderse.
Y si de verdad quería que la dejaran en paz,
Debió quedarse adentro.
Pero cada día hacía lo mismo:
Salía a jugar,
Y se paraba allí, con lágrimas en el rostro
Demasiado enojada como para correr.
El juego pronto terminaba
En cuanto salían lágrimas de sus ojos,
Pues el propósito de la diversión
Era hacer llorar a Sarah.
Casi por dos meses,
No había visto a sus amigos.
Estaba seguro de que se preguntarían
Qué pasó y dónde estaba él.
Se sintió un poco nervioso
Mientras cojeó para llegar a la clase.

Esperaba que nadie lo notara,
Pidió a Dios que nadie preguntara
De ese horrible día:
El día que su bicicleta chocó con un auto
Y lo dejó con una cojera terrible
Y una cicatriz espantosa.
Sostuvo un poco el aliento
Mientras entraba al salón,
Donde vio dentro un rótulo de "Bienvenido"
Y muchos globos rojos.
Sintió una sonrisa cruzar su rostro
Y sus amigos sonrieron también
No podía esperar ir afuera a jugar,
Que era lo que más le gustaba.
El segundo en que salió
Y vio que sus amigos ya estaban afuera,
Esperaba unas palmadas en la espalda,
Pero en cambio, sólo se quedaron mirándolo.
Sentía que su cara se ponía roja
Mientras cojeaba para unirse a ellos
Para jugar un partido de fútbol
O hacer llorar a Sarah.
Una sonrisa cruzó su rostro
Cuando escuchó a alguien reír
Y escuchó las palabras: "Eh, monstruo,
¿De dónde sacaste esa horrible máscara?"
Se volvió, esperando ver a Sarah,

Pero Sarah no estaba allí.
Era la cicatriz en su propio rostro
La que causaba tan feas palabras.
Se unió a su risa cada vez más fuerte,
Tratando de no ceder
A las terribles ganas de llorar
Mientras le temblaba la barbilla.
Sólo están bromeando,
Se forzó a creer.
Todavía son mis amigos,
Nunca tratarían de herirme.
Pero las palabras crueles continuaron,
Sobre la cicatriz y la cojera.
Y sabía que una sola lágrima que derramara
Le ganaría el apodo de llorón.
Y así siguieron las palabras hirientes
Y en su corazón se preguntaba por qué.
Pero sabía sin duda alguna
Que el juego no terminaría hasta hacerlo llorar.
Y justo cuando una lágrima se había formado,
Oyó una voz desde atrás,
"Déjenlo en paz, aturdidos, él es mi amigo".
Se volvió para ver a la pobre Sarah,
Que con determinación en su rostro,
Defendía a uno de sus atormentadores
Y estaba dispuesta a tomar su lugar.
Y cuando sus amigos hicieron lo de costumbre,

Su mejor esfuerzo por hacer llorar a Sarah,
Esta vez él no se unió,
Y finalmente entendió por qué.
"Trata a otros con respeto, hijo,
igual que quieres ser tratado tú.
Recuerda, cuando hieras a otros
Algún día, alguien te herirá a ti".
Requirió de mucho valor
Pero sabía que debía ser fuerte,
Pues ahora veía la diferencia
Entre lo bueno y lo malo.
Y Sarah no se veía tan rara
A través de sus ojos comprensivos.
Ahora sabía que nunca jugaría
El juego de hacer llorar a Sarah.
Tomó muchos días en que sus amigos
Lo molestaron hasta el cansancio,
Pero cuando vieron su fuerza,
Escogieron ser como él.
Y ahora en el patio de la escuela,
Un grupo de niños se encuentra cada día,
Para jugar con alegría,
Y para enseñarle a su nueva amiga,
Sarah, a jugar con ellos.

Cambios

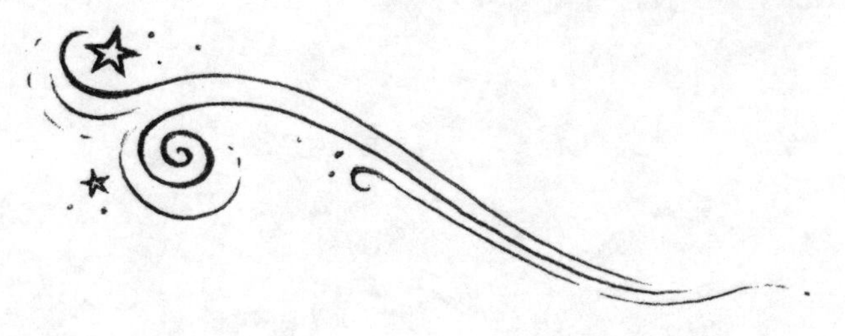

Cosas que he aprendido últimamente...

La universidad tal vez no sea como pienso,
algunas veces los amigos se van,
hay un tiempo para todo,
y los desafíos que nos hacen crecer espiritualmente
son buenos.

El chico malo del octavo grado

MIKE BUETELLE

Cuando estaba en la secundaria, el chico malo del octavo grado me dio un puñetazo en el estómago. No solamente me dolió y me hizo enojar, sino que además, la humillación y la vergüenza eran casi intolerables. ¡Quería empatar el marcador! Planeaba encontrarlo al día siguiente en el lugar donde guardábamos las bicicletas y darle su merecido.

Por alguna razón, cometí el error de decirle mi plan a Nana, mi abuela. Me dio uno de sus sermones de horas (esa mujer sí que podía hablar). El sermón fue totalmente aburrido, pero entre otras cosas, vagamente recuerdo que me dijo que no necesitaba preocuparme por el chico malo. Me dijo: "Las buenas obras traen buenos resultados, y las malas obras traen malos resultados". Le dije, de manera agradable, por supuesto, que pensaba que estaba equivocada, que ella no entendía estas cosas, y me salió el tiro por la culata. Fue de armas tomar y siguió. Dijo: "Toda buena obra volverá a ti algún día, y toda cosa mala que hagas también volverá a ti".

Me tomó treinta años entender la sabiduría de sus palabras. Nana estaba viviendo en un hogar para ancianos en Laguna Hills, California. Cada martes, yo iba a visitarla y la llevaba a cenar. La encontraba siempre muy bien vestida y sentada en una silla al lado de la puerta principal. Vívidamente recuerdo nuestra última cena juntos, antes de que se fuera al hospital de convalescencia. Condujimos a un restaurante cercano, y ordené carne para Nana y una hamburguesa para mí. La comida llegó y mientras yo me devoraba mi comida, noté que Nana no comía. Sólo se quedó mirando a la comida en su plato. Moviendo mi plato a un lado, tomé el plato de Nana, lo puse frente a mí y corté su carne en trocitos. Luego puse el plato de vuelta frente a ella. Muy débilmente y con gran dificultad usó el tenedor para llevarse la comida a la boca, y un recuerdo me abrumó instantáneamente y trajo lágrimas a mis ojos. Hacía cuarenta años, mientras yo me sentaba a la mesa, siendo un pequeñito, Nana tomaba la carne de mi plato y la partía en trocitos para que yo pudiera comerla.

Había tomado cuarenta años; la buena obra estaba siendo pagada. Nana tenía razón. Cosechamos exactamente lo que sembramos. "Toda buena obra que hagas algún día, regresará a ti".

¿Qué pasó con el chico malo del octavo grado?

Se topó con el chico malo del noveno grado.

Despertar a la realidad

Bob Welch
Tomado de "A Father For All Seasons"
(Un padre para todas las estaciones)

Estaba en el baño de mi casa, quitando una pared vieja y rodeado de materiales de construcción, cuando, mi hijo de trece años me hizo la pregunta: "¿Puedes llevarme a jugar golf algún día?"

Tenía que remodelar el baño. Era otoño y el pronóstico de la siguiente semana era de un cien por ciento de probabilidades de sol. Yo quería decirle que no. "Seguro", le respondí, "¿qué habías pensado?"

"Bueno, quizá podrías, no sé, recogernos a Jared y a mí después de la escuela el viernes y llevarnos a jugar al golf".

"Me parece bien".

Llegó el viernes. Las lluvias siguieron. Mirando por la ventana, la remodelación del baño parecía ser la opción más sabia, pero a la hora fijada, me cambié de mi ropa de trabajo al atuendo de protección contra la lluvia y metí los palos de golf de los chicos y los míos en la parte trasera del automóvil. Frente a la escuela, Ryan y Jared se subieron al vehículo. Ryan me miró con expresión de perplejidad.

"¿Por qué tienes puesto tu sombrero de golf, papá?", me preguntó.

Esa fue, según yo, una pregunta tonta, como preguntarle a un buzo por qué tiene puesto el traje de bucear.

"Bueno, pensé que íbamos a jugar golf".

Lo que siguió fue una pausa peculiar, como cuando una línea de teléfono se queda muerta temporalmente.

"Ah, ¿vas tú también?", me preguntó

Súbitamente, me di cuenta de todo: Yo no estaba invitado.

Trece años de paternidad pasaron rápidamente ante mis ojos. El nacimiento, los pañales, los biberones norcturnos, la ayuda con las tareas escolares, construir fuertes, componer bicicletas, ir a ver partidos, ir de campamento, ir a todas partes juntos, mi hijo y yo.

Ahora yo no estaba invitado. Así no más. Este era el final de la relación como la conocía. Esto era: "Adiós, viejo, gracias por los recuerdos, pero ya estoy bastante crecidito como para jugar solo, así que vete de vuelta a tu mecedora y a tus crucigramas, y aquí tienes un cupón de 50% de descuento en tu próxima botella de vitaminas para ancianos".

Todos estos recuerdos me pasaron en la mente como en dos segundos, dejándome tres segundos para responder antes que Ryan sospechara y pensara que yo, de hecho, esperaba jugar golf con él y su amigo.

Tenía que decir algo, quería decirle: ¿Cómo puedes hacerme esto? ¿Tirarme por la borda como una carnada usada? Siempre habíamos sido un equipo; ahora me abandonas.

Me sucedió lo mismo que cuando Lewis le dijo a Clark en 1805: "Hasta luego, Bill. Puedo recorrer el resto de Oregón sin ti". También recordé cuando John Glenn, llamó al centro de la Nasa para decirles que de ahí en adelante él tomaría el control de la misión.

¿Por qué tenía que cambiar todo?

Bueno, suficiente de este divagar mental. Necesitaba franquearme con él. Necesitaba expresar lo sentido que estaba, compartir mis sentimientos, reunir valor y decirle lo que había en mi alma.

Así que dije: "¿Yo? ¿Jugar? No. Ya sabes que tengo mucho que hacer con el proyecto de la remodelación".

Condujimos en silencio por unos momentos. "¿Y cómo piensan pagar?", les pregunté, herido, buscando la daga.

"Ah, ¿podrías prestarme siete dólares?"

Ah, ahora veo. No me quiere a mí, pero gustosamente toma mi dinero.

"No hay problema", le dije.

Lo dejé con Jared, les deseé suerte y me fui a casa. Mi hijo estaba por su cuenta ahora. No había nadie que le dijera cómo usar el fierro número cinco, qué truco usar en una colina, o cómo sacar la pelota de la arena. ¿Y qué tal si caían rayos? ¿Qué de la hipotermia? ¿Un carrito de golf descontrolado? ¿Una banda de maleantes? Él es tan pequeño, ¿quién lo cuidará?

Ahí iba yo, conduciendo lejos de él. No sólo por este momento, sino que para siempre. Se rompió el lazo que nos unía. La vida no volvería a ser la misma.

Entré a casa. "¿Qué haces en casa?", me preguntó mi esposa.

Sabía que sonaría como un chico de trece años que fue el único de la clase al que no invitaron a la fiesta, pero de todas formas, se lo dije.

"Yo no estaba invitado", respondí con resentimiento.

Siguió otra de esas peculiares pausas. Luego mi esposa se rio en voz alta. Al principio me sentí herido, después, yo también me reí y la situación súbitamente se hizo más clara.

Volví a remodelar el baño y empecé a darme cuenta de que de esto se trata la vida: de cambios. Esto es lo que todo padre e hijo deben llegar a hacer en algún momento: cambiar. Esto es para lo que lo he estado preparando desde la primera vez que me miró y lloró: no a jugar golf conmigo, sino a seguir adelante sin mí, con su propio juego de palos, su propio plan de juego, su propia fe.

Dios estaba remodelando a mi hijo, agregando un poco más de espacio aquí, poniendo una nueva virtud allá. En resumen, permitirle ser más de lo que jamás llegará a ser si yo lo sigo protegiendo. Recordé que cuando yo era de la edad de Ryan, cargaba mi bolsa de palos de golf al hombro y viajaba las cinco millas en bicicleta a través del pueblo, para jugar golf en un campo público que se llamaba Marysville, y que a mí se me hacía como el Augusta National.

Recuerdo cuán adulto me sentía al caminar dentro del oscuro club, con el humo que se levantaba del juego de naipes a la izquierda, y orgullosamente depositaba mis dos dólares para jugar nueve hoyos. ¿Habría querido que mi padre estuviera allí ese día conmigo? No, un chico tiene que hacer lo que un chico tiene que hacer: crecer.

Volví al proyecto de remodelación del baño. Unas horas más tarde, escuché a Ryan entrar por la puerta principal. Oí cómo le alegó a su madre de que no hizo ni un solo hoyo, y que el campo parecía un lago. Sonaba como alguien conocido. Sus zapatillas rechinaban por el agua y lo oí caminar hacia donde yo estaba trabajando en el baño.

"Papá", dijo, chorreando agua, "fue un juego pésimo. ¿Me puedes llevar a jugar golf un día? Necesito ayuda".

Quería abrazarlo y agitar la sierra eléctrica en celebración. Gritar: "¡Todavía me necesita!" Quería decirle a Dios: "Gracias por dejarme ser parte del trabajo de remodelación de este chico".

En cambio, puse una de esas miradas serias de padre en el rostro y estoicamente le dije: "Seguro, Ryan, cuando quieras".

El círculo completo

JANNA L. GRABER

Desde mi habitación escuché el sonido agudo de un interruptor de luz, y luego el sonido de los pasos de mi padre en el pasillo. Me di vuelta en la cama y gemí, sabiendo exactamente cuáles serían sus siguientes palabras.

"Son las siete, ¡hora de levantarse!", sonó su animada voz.

Me cubrí la cabeza con la almohada. "¿No puedo dormir un poquito más esta mañana?", reclamé. Después de todo, pensaba, ya tengo dieciocho años.

"Tenemos tareas qué hacer", respondió papá, con una voz que decía ya deberías saber. "Todos estamos listos para desayunar".

Refunfuñaba mientras me alistaba. *¿Por qué no podíamos vivir como una familia normal?*, pensé.

Para cuando llegué abajo, mi familia ya estaba sentada a la mesa de roble en nuestra cocina. Mis siete hermanos y hermanas menores, entre los dieciséis y un año de edad, estaban sentados y listos para atacar la comida en cuanto se dijera la bendición.

Con ocho hijos, cinco adoptados, mi familia no era el hogar normal de los suburbios. Para acabarla de colmar, vivíamos en una granja en unas cuantas hectáreas de tierra rodeados por los suburbios de Denver. La idea de hacer tareas en la granja, como alimentar a los animales, limpiar graneros y cuidar del huerto, era algo extraño para mis amigos de la ciudad. Mientras que ellos dormían hasta tarde, o veían dibujos animados los sábados por la mañana, yo trabajaba en el campo con mi famila, algo que empezaba a desagradarme.

El desayuno ya había sido devorado para cuando yo finalmente me dirigí a mi padre. "¿Cuál es el trabajo para hoy?", le pregunté, dejando en claro que yo pensaba que todavía debería estar durmiendo.

"El huerto", me respondió, "hay que regarlo y podar las plantas. Si trabajamos juntos, terminaremos en una hora".

El "huerto" contaba de veinte arbolitos que llegaban a la altura de la rodilla. Dos de mis hermanas sacaron las mangueras para regarlos, mientras que mamá y papá se arrodillaron a arrancar maleza. Yo tomé una manguera también, y de mala gana apunté para echarle agua a los árboles que trataban de sobrevivir en la tierra seca de Colorado.

"Mira, tienes de dejar que absorban más agua", dijo mi padre supervisando mi trabajo. "Mantén la manguera en cada uno por más tiempo".

Mi frustración era difícil de esconder. "¿Por qué tenemos que regar estos tontos palos? ¡Nunca lograrán crecer!"

Papá se quedó mirándome como si pensara en lo que me iba a responder. "Estos 'tontos palos' crecerán algún día y serán bellos árboles. Tu madre y yo queremos un bonito hogar para nuestra familia; es un sueño que tenemos". Hizo una pausa y vi sus ojos examinar nuestro hogar, luego miró al resto de mis hermanos. "La mayoría de los sueños requieren de trabajo arduo y toman tiempo", continuó, "debes tenerlo presente".

Con eso, volvió a trabajar y me dejó para que meditara en sus palabras. Miré a mi familia. Mamá ayudaba a dos de mis hermanos a arrancar hierbas alrededor de los arbustos de frutilla, mientras que una de mis hermanas cuidaba a los dos más pequeños que jugaban en el césped. Papá había escogido el trabajo más duro de plantar otro arbolito en el duro suelo.

Veía el sudor en su frente mientras batallaba bajo el ardiente sol. ¿Por qué?, me preguntaba, ¿por qué trabajaba tan duro por nosotros?

"Papá", mi hermano Philip lo llamó, "¡ven a ver mi trabajo!"

Papá caminó hacia Philip, quien, a los doce años, estaba tratando de componer una verja rota. El trabajo de Philip dejaba mucho que desear, y los clavos doblados sobresalían de las tablas irregulares que él había reemplazado, pero con gran orgullo mostraba su obra.

Me pareció absurdo. ¿No podía darse cuenta Philip de que el trabajo tenía que volverse a hacer?

La respuesta de papá me sorprendió. "¡Buen trabajo!", le dijo, "¡te determinaste y lo lograste!"

La escena me hizo pensar. Habría sido más fácil si papá hubiera hecho el trabajo. ¿Qué beneficio había en que mi hermano lo hiciera mal?

¿Y por qué no nos mudábamos a otra casa que requiriera menos trabajo de mantenimiento? ¿Disfrutaban mis padres de hacer todo este trabajo, o a lo mejor tenían algún otro motivo?

La casa en que vivíamos ahora no se parecía en nada a la casa en que nos mudamos. Se construyó durante la década de los años veinte, y la granjita blanca consistía de dos habitaciones y una cocinita agregada; mis padres habían visto el potencial que tenía. Pasaron los siguientes años remodelándola. Cuando la casa les resultó muy pequeña, construyeron tres veces hasta que aquella pequeña granjita era un encantador hogar para criar a ocho hijos. Realmente no me había puesto a pensar en todo lo que mis padres habían hecho por nosotros, sino hasta ahora.

En silencio volví a trabajar, preguntándome respecto a mis padres y lo que trataban de enseñarnos.

Los años han pasado desde ese día en el huerto, pero he pensado mucho en las palabras de mi padre. "La mayoría de los sueños requieren de arduo trabajo y tiempo", había dicho, "debes tener presente eso".

Aquellas palabras hicieron eco en mi mente mientras estudiaba en la universidad, cuando me casé, y cuando comencé mi carrera. De hecho, las palabras y el ejemplo de mi padre se han enraizado tanto en mí, que algunas veces me oigo repetirlas.

Cuando mi esposo y yo compramos nuestra primera casa, era obvio que el lugar necesitaba arreglos. El jardín necesitaba atención, compré docenas de flores, arbustos y arbolitos.

Unos días más tarde, invité a mis padres a visitarnos y orgullosamente les mostré mis compras.

"Sembrémoslos", dijo mi madre, mientras caminaba hacia el garaje en busca de una pala.

Planeamos con todo entusiasmo, y nos pusimos a trabajar. Yo tomé la pala y empecé a hacer un hoyo, cuando me detuve. Faltaba algo.

Corrí dentro de la casa y encontré a mis dos hijas que veían un video con una amiga.

"Vengan afuera a ayudar", les dije, "podemos plantar estos árboles juntas".

Observé una mirada de sorpresa mientras les enseñaba a sostener los árboles que yo plantaba.

"Pero éstos no parecen árboles", exclamó la mayor, "¿por qué tenemos que hacer esto?"

Mi respuesta vino sin pensar. "Si lo hacemos juntas, el trabajo se hace más rápido. Además, ahora pueden no parecer gran cosa", le dije, "pero con un poco de trabajo y tiempo, crecerán para convertirse en algo bello".

Luego, con el rabillo del ojo vi que mi padre sonreía.

Mi propio arco iris

Randi Curtiss
14 años
Tomado de "Where The Heart Is" (Donde está el corazón)

Gracias a mi familia he aprendido que el dinero no es necesario para la verdadera felicidad. Mi padre trabaja por su cuenta, y al mirar atrás en el tiempo, puedo darme cuenta de cuántas cosas no tuve. Pero el pensamiento nunca me cruzó la mente en aquel tiempo. Siempre pensé que era el chico más afortunado de la tierra. Tenía un molino de viento a un tiro de piedra de la puerta principal de mi casa, aunque el pozo estaba seco y tronaba ruidosamente cuando soplaba el viento. Tenía un porche trasero, aunque era solamente del tamaño de una mesa portátil, y estaba cubierto con una alfombra de las que parecen césped verde. Había una gran cantidad de patos y gansos que mamá mantenía detrás de la casa rodante. Solíamos dejarlos salir, luego pararnos en el patio de atrás y tirarles pan. Corrían por todos lados, robando trocitos de lo que les correspondía a los demás.

Además, tenía mi propio arco iris. En el pequeño dormitorio que mis dos hermanos y yo compartíamos, había una pequeña ventana con una calcomanía de un arco iris. Yo solía sentarme por horas, mirando hacia la pradera a través del rojo, naranja y amarillo, y observaba las nubes cambiar colores al pasar por las curveadas bandas de color.

Con el tiempo, nos mudamos a una casa que no quedaba ni a una cuadra de donde había estado la casa rodante, y no he visto mi arco iris desde entonces. Mamá todavía tiene sus aves, pero quitamos el molino de viento porque se estaba volviendo peligroso tenerlo cerca. Nunca supe qué pasó con el porche trasero.

Cargamos la casita rodante en un camión semirremolque un día, y me despedí de lo que había sido mi casa durante cinco años. Ahora todo lo que queda de ella es el perímetro de flores azules que crecían a su alrededor, pero nunca olvidaré lo que aprendí de la felicidad al vivir allí.

Lo que en realidad importa

No importa dónde vayas o lo que hagas,
ni siquiera lo que trates de lograr o dominar,
lo que sea que logres, no sumará nada si no tienes amor.

– Aubrey Leigh Denzer
Discurso de graduación, Escuela Secundaria Sisters

Bendición o maldición

Max Lucado

Tomado de "In the Eye of the Storm" (En el ojo de la tormenta)

Una vez, había un anciano que vivía en un pequeño pueblo. Aunque era pobre, todo el mundo lo envidiaba, pues tenía un bellísimo caballo blanco. Hasta el rey envidiaba su tesoro. Nunca antes se había visto un caballo como ése, tal era su esplendor, su majestad, su fuerza.

La gente le ofrecía fabulosos precios por el animal, pero el anciano siempre se rehusaba. "Este animal no es un caballo para mí", solía decirles, "para mí, es una persona. ¿Cómo puede venderse una persona? Él es un amigo, no una posesión. ¿Cómo podrías vender a un amigo?" El hombre era pobre y la tentación era grande, pero nunca vendió el caballo.

Una mañana descubrió que el caballo no estaba en el establo. Todo el pueblo vino a verlo. "Viejo tonto", lo amonestaban, "te dijimos que alguien te robaría el caballo. Te lo advertimos. Eres muy pobre, ¿cómo esperabas poder proteger un animal tan valioso? Mejor debiste haberlo vendido. Pudiste haber obtenido mucho dinero. Ningún precio habría sido demasiado alto. Ahora el caballo no está y te ha caído la maldición del infortunio".

El anciano respondió: "No hablen tan rápido. Solamente digan que el caballo no está en el establo. Eso es todo lo que sabemos; lo demás es juzgar. Si me ha llegado la maldición o no, ¿cómo podrían ustedes saberlo? ¿Cómo pueden juzgarlo?"

La gente respondió: "¡No creas que somos tontos! Tal vez no seamos filósofos, pero aquí no se necesita de gran filosofía. El simple hecho de que tu caballo no esté es una maldición".

El hombre habló de nuevo. "Todo lo que sé es que el establo está vacío y el caballo no está. El resto no lo sé. No podría decir si es una maldición o una bendición. Todo lo que puedo ver es un fragmento. ¿Quién puede saber qué va a pasar después?"

La gente del pueblo se rió. Pensaban que el hombre estaba loco. Siempre pensaron que era un tonto; si no lo fuera, habría vendido el caballo y habría vivido del dinero que consiguiera de la venta. En cambio, era un pobre hombre que se dedicaba a cortar leña y la arrastraba fuera del bosque para venderla. Vivía de la mano a la boca, en la miseria de la pobreza. Ahora, de hecho había comprobado que era un tonto.

Después de quince días el caballo volvió. No lo habían robado, había ido al bosque. No solamente había vuelto, sino que había traído una docena de caballos salvajes con él. Una vez más la gente del pueblo se reunió alrededor del cortador de leña y hablaron. "Viejo, tenías razón y nosotros estábamos equivocados. Lo que pensamos que había sido una maldición, realmente fue una bendición. Por favor, perdónanos".

El viejo respondió: "Una vez más, van demasiado lejos. Solamente digan que el caballo volvió. Declaren que doce caballos volvieron con él, pero no juzguen. ¿Cómo saben si es una bendición o no? Solamente ven un fragmento. A menos que conozcan la historia completa, ¿cómo pueden juzgar? Si solamente leen una página de un libro, ¿pueden juzgar el resto del libro? Si solamente leen una palabra de una frase, ¿pueden entender la frase completa?

"La vida es tan amplia, y ustedes pretenden juzgar la vida con una sola página o una sola palabra. Todo lo que tienen es un fragmento. No digan que es bendición. Nadie lo sabe. Estoy contento con lo que sé y no me perturba lo que no sé".

Quizá el viejo tenga razón, se decían los unos a los otros. Así que dijeron poco, aunque por dentro, sabían que estaba equivocado. Sabían que era una bendición. Doce caballos salvajes habían vuelto con un solo caballo. Con un poco de trabajo, los animales podían domarse, entrenarse y venderse por mucho dinero.

El viejo tenía un hijo, un solo hijo. El jovencito empezó a domar los caballos. Después de unos días, se cayó de uno de los caballos y se quebró las dos piernas. Una vez más, la gente del pueblo se reunió alrededor del hombre a emitir sus juicios.

"Tenías razón", dijeron, "probaste que tenías razón. La docena de caballos no eran bendición sino maldición. Tu único hijo se ha quebrado las piernas y ahora en tu edad avanzada no tienes a nadie que te ayude. Ahora eres más pobre que nunca".

El anciano habló de nuevo. "Ustedes están obsesionados con los juicios. No vayan tan lejos, digan solamente que mi hijo se quebró las piernas. ¿Quién sabe si es bendición o maldición? Nadie lo sabe. Solamente tenemos un fragmento. La vida viene en fragmentos".

Sucedió que unas semanas más tarde, el país se involucró en una guerra contra un país vecino. Todos los jóvenes del pueblo fueron enviados al ejército. Solamente el hijo del anciano no fue reclutado porque estaba herido. Una vez más, la gente se reunió alrededor del anciano, llorando y quejándose porque sus hijos habían ido a la guerra, y había muy pocas probabilidades de que volvieran. El enemigo era fuerte, y la guerra sería una batalla por perder. Nunca verían a sus hijos otra vez.

"Tenías razón, viejo", lloraban. "Dios sabe que tenías razón. Esto lo comprueba. El accidente de tu hijo fue una bendición.

Tiene quebradas las piernas, pero al menos está contigo. Nuestros hijos se han ido para siempre."

El viejo habló de nuevo. "Es imposible hablar con ustedes porque siempre sacan conclusiones. Nadie sabe. Solamente digan esto: sus hijos tuvieron que ir a la guerra y el mío no. Nadie sabe si es bendición o maldición. Nadie es lo suficientemente sabio como para saberlo. Sólo Dios lo sabe".

Ella tiene diecisiete años

Gloria Gaither

Tomado de "Let's Make a Memory" (Hagamos un recuerdo)

El primer día de clases no empezaba sino hasta la una, así que teníamos suficiente tiempo para desayunar en McDonald´s y comprar las cosas que necesitábamos para las clases. Tú nos recordaste ir a McDonald´s para desayunar. "Siempre hemos ido allí el primer día de clases", dijiste. Algo difícil de calificar se agitó dentro de mí cuando lo dijiste. Quizás era orgullo, orgullo de que todavía te gozaras con nuestra pequeña tradición; o quizá placer, placer de saber que todavía escogías estar con nuestra familia cuando tenías tus propios planes. Pero también había cierta tristeza, y no podía detener el saber que éste sería tu último primer día de escuela.

Bajaste las escaleras esa mañana bien arreglada. El brillo saludable de tu bronceado de verano y tus pecas se veían a través del maquillaje, y tu cabello aclarado por el sol se veía cuidadosamente arreglado. "¡Hola, mamá!", dijiste, y tu sonrisa mostró tus blancos y perfectos dientes. Ya no más citas con el ortodoncista, pensé, y no más anteojos rotos que pegar antes de ir a la escuela. Los lentes de contacto y los frenillos valieron la pena.

"Tengo que tomarme mis fotos del último año de escuela, mañana después de clases. Mamá, ¿puedo usar el automóvil?"

"Creo que sí", te dije y luego te recordé tu promesa de llevar a tu hermana a cortarse el cabello a las tres de la tarde. Tu licencia de conducir también resultó conveniente.

Para entonces, Amy y Benjy estaban listos y en el automóvil, y fuimos a McDonald's. Mientras comíamos, hablamos de otros primeros días, el primer día del kindergarten, el primer día de la escuela media, y aquel temible primer día en la nueva y gran escuela secundaria. Todos se interrumpían con historias de momentos en que sintieron vergüenza, premios, amistades y temor.

Después que habíamos comido, nos apresuramos a comprar los cuadernos y compases antes de dejarlos a todos en sus respectivas escuelas, primero Amy y Benjy en la escuela media, y luego a ti. "Hasta luego, mamá", dijiste mientras te deslizabas por el asiento. Luego te detuviste un momento y te volviste a mirar sobre el hombro. "Y, mamá, gracias". Era el remanente de un beso de despedida. Era la duda de una pequeñita en rizos que empezaba el kindergarten. Era la anticipación de una joven mujer confiada de su dirección; todo esto estaba en ese gesto.

"Te amo", fue todo lo que respondí, pero esperaba que de alguna manera pudieras oír con tu corazón todas las demás palabras que me cruzaban la mente, palabras que decían lo especial que eres para nosotros; palabras que te harían saber cuán ricos tu padre y yo nos sentimos porque viniste a ser parte de nuestras vidas; palabras que te dirían lo mucho que creemos en ti, lo mucho que esperamos para ti, oramos por ti, y damos gracias a Dios por ti. Las puertas de la escuela se cerraron tras de ti y desapareciste en el corredor: Yo quería gritar: "*¡Espera!* Tenemos todavía tanto qué hacer, nunca hemos ido a Hawai y nunca hemos tomado un crucero. El libro de poesía que escribimos juntas no ha sido publicado. ¿Y qué diremos del día que íbamos a pasar en la cabaña sin hacer nada más que leer? ¿O el taller de escritores al que planeábamos ir juntas en Illinois? No puedes irte todavía... ¡ESPERA!"

Pero sabía que no podías esperar, y que no podríamos mantenerte al tratar de detener tu progreso. Tenías promesas que cumplir. Así, aunque sabía que éste era un último primer día, también, de alguna manera sabía que era un primer día de toda una vida de nuevos principios, ¡y me regocijé!

Papá

AUTOR DESCONOCIDO

4 años:	Mi papi puede hacer cualquier cosa.
7 años:	Mi papá sabe mucho, muchísimo.
8 años:	Mi papá no lo sabe todo.
12 años:	Bueno, naturalmente, papá no sabe eso, tampoco.
14 años:	¿Papá? Completamente chapado a la antigua.
21 años:	Oh, ese hombre está fuera de moda. ¿Qué esperabas?
25 años:	Sabe un poquito al respecto, pero no tanto.
30 años:	Quizá deberíamos averiguar qué piensa papá.
35 años:	Un poco de paciencia; obtengamos la opinión de papá antes de hacer algo.
50 años:	Me pregunto lo que papá habría pensado al respecto, era bastante inteligente.
60 años:	¡Mi padre sabía absolutamente todo!
65 años:	Daría cualquier cosa porque papá estuviera aquí para poder hablar de esto con él. Realmente lo extraño.

La señal

RELATADO POR ALICE GRAY

El joven hombre estaba sentado solo en el autobús y la mayor parte del tiempo miraba por la ventanilla. Estaba en los veinte, se veía agradable, con un rostro amable. Su camisa azul oscuro combinaba con el color de sus ojos. Su cabello era corto y estaba bien peinado. Ocasionalmente quitaba la mirada de la ventanilla y la ansiedad en su rostro juvenil tocó el corazón de la mujer con semblante de abuela que estaba sentada al otro lado del pasillo. El autobús se acercaba a las afueras de un pequeño pueblo cuando ella se sintió tan interesada en el jovencito, que atravesó el pasillo y le pidió permiso para sentarse a su lado.

Después de pocos momentos de charla sobre el clima cálido de la primavera, él comenzó a hablar: "He estado en la cárcel por dos años. Recién salí esta mañana y voy a casa". Sus palabras tropezaban unas con otras mientras le relataba que había sido criado en una familia pobre pero muy honesta, y cómo su crimen había traído vergüenza y dolor a su familia. En los dos años que pasó preso, no había sabido nada de ellos. Él sabía que eran demasiado pobres como para viajar a visitarlo, y sus padres probablemente no habrían sabido escribirle. Él había dejado de escribirles al no recibir respuesta.

Tres semanas antes de salir, desesperadamente le escribió una carta más a su familia. Les dijo cuánto lamentaba haberlos decepcionado y les pedía perdón.

Siguió explicándoles que saldría libre, y que tomaría el autobús que pasa frente a la casa donde creció y donde sus padres aún vivían. En su carta decía que entendería si no lo perdonaban.

Quería facilitárselos, así que pidió que le dieran una señal que él pudiera ver desde el autobús. Si lo habían perdonado y querían que volviera a casa, podían atar un listón blanco en el viejo árbol de manzanas que había en el jardín frente a la casa. Si la señal no estaba allí, se quedaría en el autobús, continuaría el viaje, y saldría de sus vidas para siempre.

El autobús se acercaba a su calle, y el joven estaba cada vez más ansioso al punto de que temía mirar por la ventanilla, pues estaba seguro de que no habría tal listón.

Después de escuchar su historia, la mujer sencillamente le preguntó: "¿Crees que te ayudaría si cambiamos y me siento al lado de la ventanilla y me fijo en el árbol?" El autobús viajó un par de cuadras más y luego ella vio el árbol. Gentilmente tocó el hombro del joven y reteniendo las lágrimas le dijo: "¡Mira! ¡Oh, tienes que ver! El árbol completo está cubierto de listones blancos".

El acertijo

AUTOR DESCONOCIDO

Soy tu compañero constante.
Soy tu más grande ayuda o tu carga más pesada.
Puedo impulsarte hacia adelante, o arrastrarte al fracaso.
Estoy completamente a tus órdenes.
La mitad de las cosas que haces te sería mejor
Dejármelas a mí, y podré hacerlas rápida y correctamente.
Soy fácil de manejar, pero debes ser firme conmigo.
Muéstrame exactamente cómo quieres que haga algo
Y después de unas cuantas lecciones
lo haré automáticamente.
Soy servidor de toda la gente famosa,
y a la vez, de todos los fracasados.
Aquellos que son grandes, yo los he hecho grandes.
Aquellos que son un fracaso, yo lo he hecho fracasos.
No soy una máquina, aunque trabajo
con toda la precisión
De una máquina, mas la inteligencia de una persona.
Puedes usarme para ganar o para ir a la ruina,
no hay diferencia para mí.

Llévame, entréname, sé firme conmigo,
y pondré el mundo a tus pies.
Se fácil conmigo y te destruiré.
¿Quién soy?
¡Soy un hábito!

La vida no es una pequeña vela para mí,
es como una espléndida antorcha que
tengo que sostener por un momento,
y quiero hacerla arder tan brillantemente como sea posible
antes de entregársela a las generaciones futuras.

–George Bernard Shaw

Decisiones

DISCURSO DE GRADUACIÓN
SARA ANN ZINN
ESCUELA CRISTIANA CROOK COUNTY

Como graduandos de secundaria, nos enfrentamos a decisiones. Ahora es cuando nosotros, que fuimos niños una vez, empezamos a tomar decisiones como adultos.

La sólida fundación de nuestra educación cristiana y la formación de nuestras creencias y nuestro carácter, que nos han dado esta secundaria y nuestras familias, nos han preparado para la travesía que nos espera.

Algunos de nosotros ya hemos escogido la avenida que nos guiará a nuestras metas y sueños, otros todavía estamos en la intersección. Algunos irán a la universidad, otros se casarán, otros se irán a defender nuestra nación, mientras que otros en seguida comenzarán a trabajar. Cualquier decisión que tomemos, siempre debemos recordar quiénes somos y lo que representamos.

El camino es largo y la jornada dura
Hay momentos en los que parece difícil
Encontrar la fuerza necesaria.
Pero a través de todo, los altos y los bajos
Aprendemos a sonreír a pesar de los disgustos.
Aprendemos a compartir nuestro gozo y nuestro dolor,

A compartir sin esperar ganancia alguna.
Aprendemos a dar una mano de ayuda,
Y a depender de los demás cuando
No podemos lograr algo solos.
Aprendemos la diferencia entre el bien y el mal
Y escogemos el bien con todo nuestro ser.
Aunque este camino es duro y parece tan largo,
Es en él donde encontraremos nuestro lugar;
Porque sólo a través de las vueltas que da la vida,
Podemos realmente aprender y madurar.

Mi mejor amiga

ALICIA M. BOXLER

Cuando conocí a Molly, inmediatamente se hizo mi mejor amiga. Disfrutamos las mismas cosas, nos reímos de los mismos chistes y las dos amábamos igualmente los girasoles.

Parecía como si nos hubiéramos encontrado en el momento preciso. Ambas habíamos estado en grupos distintos de amigos que no se llevaban bien o con quienes no nos sentíamos cómodas. Estábamos felices de habernos encontrado.

Nuestra amistad creció y se arraigó. Nuestras familias se hicieron amigas, y todos sabían que donde estuviera Molly, allí estaría yo, y viceversa. En el quinto grado, no estábamos en el mismo salón de clase, pero a la hora del almuerzo nos sentábamos en asientos cercanos y nos volteábamos para conversar. Las señoras encargadas del almuerzo no se agradaban de esto. Siempre bloqueábamos los pasillos, hablábamos demasiado fuerte y no comíamos el almuerzo, pero no nos importaba. Las maestras sabían que éramos mejores amigas, pero también éramos una molestia. Nuestras bocas siempre nos metían en problemas y ya nos habían advertido que nunca volveríamos a estar en el mismo salón si continuábamos así.

Ese verano, Molly y su hermano iban muy seguido a mi casa. Mi madre los cuidaba mientras su madre trabajaba. Nadábamos, jugábamos afuera y practicábamos nuestras flautas. Nos compramos dijes de mejores amigas y nos asegurábamos de llevarlos puestos tan frecuentemente como fuera posible.

El verano pasó rápidamente y empezó la escuela media. Tal como nos habían advertido los maestros, no estuvimos en la misma clase. Todavía conversábamos por teléfono, nos visitábamos, cantábamos en el coro y practicábamos nuestra flauta juntas en la banda. Nada podía destruir nuestra amistad.

Empezó el séptimo grado y, otra vez, no estuvimos en la misma clase, y no podíamos sentarnos juntas a la hora del almuerzo. Parecía que nuestra amistad estaba a prueba. Ambas hicimos nuevos amigos. Molly empezó a frecuentar un nuevo grupo de jóvenes, y se estaba volviendo muy popular.

Pasábamos menos tiempo juntas, y rara vez hablábamos por teléfono. En la escuela, yo trataba de hablarle, pero ella me pasaba por alto. Cuando teníamos un minuto para hablar, una de sus amigas más populares venía, y Molly se iba con ella, dejándome sola. Su actitud me dolía mucho.

Yo estaba tan confundida. Estoy segura de que en ese momento ella no sabía lo mal que me sentía, pero, ¿cómo podía hablarle si no me escuchaba? Empecé a pasar más tiempo con mis nuevos amigos, pero no era lo mismo. Conocí a Erin, que también era amiga de Molly. Ella estaba en la misma situación que yo con Molly, puesto que habían sido amigas cercanas y últimamente Molly la había estado tratando de la misma manera que a mí. Decidimos hablarle.

La llamada telefónica no fue fácil. Hablarle y decirle cómo me sentía fue difícil. Tenía tanto miedo de lastimar sus sentimientos y hacerla enojar. Fue gracioso, sin embargo, cuando hablamos por teléfono, sentí que éramos amigas otra vez. Era la Molly que yo conocía.

Le expliqué cómo me sentía y ella también me expresó sus sentimientos. Me di cuenta de que yo no era la única que se sentía mal. Ella también extrañaba las conversaciones conmigo.

¿Qué le quedaba sino hacer nuevos amigos? Yo no había pensado en eso antes, pero ella se sentía abandonada por mí y mis nuevos amigos. Hubo momentos en los que ni me di cuenta de estar pasándola por alto. Aquel día hablamos por teléfono durante mucho rato, porque cuando terminamos, yo casi había terminado la caja de pañuelos desechables y me sentía como si me hubieran quitado un gran peso de mi corazón. Ambas decidimos que queríamos continuar la amistad con nuestros nuevos amigos, pero nunca olvidaríamos la diversión y la amistad que habíamos compartido juntas.

Hoy día, al mirar hacia atrás, sonrío. Molly y yo finalmente estamos en la misma clase, y, ¿saben? Todavía nos metemos en problemas por hablar muy alto. Molly ya no es mi mejor amiga, es más como mi hermana. Todavía disfrutamos las mismas cosas, nos reímos de las mismas bromas y compartimos el mismo amor por los girasoles. Nunca la olvidaré. Molly me enseñó algo muy importante. Me enseñó que todas las cosas cambian, la gente cambia, y eso no significa que olvidas el pasado o lo tratas de enterrar. Simplemente, significa que sigues adelante y atesoras todos los recuerdos.

Fe

Cosas que he aprendido últimamente ...

Algunas personas tienen miedo de llorar,
el cielo tiene que ser algo especial,
las coincidencias realmente son "cosas de Dios",
y el amor siempre confía, siempre espera.

El mundo diferente de Kevin

Kelly Adkins
Tomado de la revista "Campus Life" (Vida en la universidad)

Mi hermano, Kevin, piensa que Dios vive debajo de su cama. Por lo menos, eso fue lo que le escuché decir una noche. Él estaba orando en voz alta en su dormitorio a oscuras, y me detuve fuera de su puerta cerrada a escuchar.

"¿Estás allí, Dios?", dijo, "¿dónde estás? Oh, ya veo, debajo de mi cama".

Me reí en silencio y me fui de puntillas a mi habitación. Las perspectivas únicas de Kevin son frecuentemente fuente de diversión, pero esa noche quedó algo más que el humor de lo que había dicho. Me di cuenta, por primera vez, de lo distinto que es el mundo en el que vive Kevin.

Nació hace treinta años, mentalmente incapacitado como resultado de dificultades en el parto. Aparte de su tamaño (mide un metro ochenta y cinco), hay muy pocas maneras en que él es un adulto. Razona y se comunica con las habilidades de un niño de siete años, y siempre lo hará.

Es probable que siempre crea que Dios vive debajo de su cama, que Santa Claus es el que llena el espacio debajo de nuestro árbol cada Navidad, y que los aviones permanecen en el aire porque los ángeles los sostienen.

Recuerdo haberme preguntado si Kevin se da cuenta de que es diferente. ¿Se sentirá alguna vez insatisfecho con su monótona vida? Se levanta antes de que amanezca cada día y se va a trabajar a un taller para incapacitados, llega a casa para sacar a pasear a nuestro perro, vuelve a comer su plato favorito de pasta con queso para la cena, y luego se va a dormir. La única variación en este escenario, son los días de lavar la ropa, cuando corre con gran entusiasmo a la lavadora, como lo haría una madre con su bebé recién nacido.

No parece insatisfecho. Corre al autobús cada mañana a las siente y cinco, ansioso de empezar un día de trabajo sencillo. Mueve las manos con emoción mientras hierve el agua en la estufa a la hora de cenar, y se queda levantado hasta tarde dos veces por semana para reunir nuestra ropa sucia para su tarea de lavandería del día siguiente.

Y los sábados, ¡oh, la felicidad de los sábados! Ese es el día en que papá lleva a Kevin al aeropuerto a tomar un refresco, ver aterrizar los aviones, y especular en voz alta sobre el destino de los pasajeros que van dentro.

"¡Ese debe ir a Chi-ca-go!", grita Kevin a la vez que aplaude. Su anticipación es tan grande que casi no puede dormir los viernes por la noche.

No creo que Kevin sepa que existe nada fuera de su mundo de rituales diarios y paseos de campo los fines de semana. No sabe lo que significa no estar contento. Su vida es sencilla. Nunca sabrá de los enredos de la riqueza y el poder, y no le importa la marca de la ropa que lleva puesta, o el tipo de comida que come. No ve diferencia en las personas, y trata a todos como un igual y un amigo. Sus necesidades siempre han sido satisfechas, y nunca se preocupa de que algún día no lo sean.

Sus manos son diligentes. Kevin nunca está tan contento como cuando trabaja. Cuando saca los platos de la lavadora de platos, o pasa la aspiradora por la alfombra, pone todo su corazón en lo que hace. No se escapa de una tarea una vez que la ha empezado, y no deja un trabajo sino hasta que lo termina. Pero cuando termina sus tareas, Kevin sabe descansar. No se obsesiona con su trabajo o el trabajo de otros.

Su corazón es puro. Todavía cree que todos dicen la verdad, que las promesas deben cumplirse, y que cuando estás equivocado pides perdón en lugar de discutir. Libre de orgullo y de preocupaciones por las apariencias, Kevin no teme llorar cuando se siente herido, enojado o arrepentido. Siempre es transparente, siempre es sincero.

Confía en Dios. No está confinado por el razonamiento intelectual y cuando viene a Cristo, viene como un niño.

Kevin parece conocer a Dios, ser realmente su amigo, en una manera difícil de entender para una persona "educada". Dios parece ser su compañero más cercano.

En mis momentos de duda y frustración con mi fe, envidio la seguridad que Kevin tiene en su fe tan simple. Es allí que estoy casi dispuesta a admitir que él tiene un tipo de conocimiento divino que se eleva más allá de mis preguntas mortales. Es entonces, cuando me doy cuenta de que quizá no es él el que tiene una incapacidad, sino yo.

Un día, cuando se nos abran los misterios del cielo y nos sorprendamos de lo cerca que Dios realmente está de nuestros corazones, me daré cuenta de que Dios escuchó las oraciones sencillas de un chico que creía que Dios vivía debajo de su cama.

Kevin no estará sorprendido.

Maravillosa gracia...

CYNTHIA HAMOND

El papel principal de la obra debió haber sido mío. Todos mis amigos estaban de acuerdo. Por lo menos, no debieron habérselo dado a Helen, esa chica nueva. Nunca tenía nada qué decir, siempre con la mirada hacia abajo como si su vida fuera demasiado pesada. Nunca le habíamos hecho nada. Pensamos que es engreída. No puede ser que las cosas le vayan mal, no con toda la linda ropa que usa. En los dos meses que ha estado en nuestra escuela, no se ha puesto la misma ropa más de dos veces.

Pero lo peor de todo, fue cuando llegó a las pruebas y cantó para la misma parte que yo. Todos sabían que el papel principal era para mí. Después de todo, yo había tenido partes importantes en los musicales de la secundaria, y, éste era nuestro último año.

Mis amigos me estaban esperando, así que no me quedé a escuchar la audición de Helen. El impacto vino dos días más tarde cuando corrimos a ver el boletín del departamento de drama.

Revisamos las páginas en busca de mi nombre. Cuando lo encontramos, me puse a llorar. ¡A Helen la habían escogido para el papel principal! Yo saldría de su madre, y además, debía estudiar su parte para ser su suplente. ¿Suplente? Nadie podía creerlo.

Los ensayos se me hacían eternos. Helen no parecía darse cuenta de que estábamos haciendo hasta lo imposible por pasarla por alto.

Admitiré que Helen tenía una voz bella. De alguna manera, en el escenario era distinta. No se veía feliz, sino más bien satisfecha y contenta.

La noche de apertura, todos estábamos nerviosos detrás del escenario en silencio, esperando que se levantara el telón. Todos, menos Helen, por supuesto. Ella parecía estar muy tranquila en su propio mundo.

La actuación fue un éxito. Cantamos a la perfección, nuestras voces fluían y se complementaban muy bien. Helen y yo cantamos a dúo, contando la historia de una madre y una hija. Yo era la madre que oraba por su hija descarriada, y Helen en el papel de la hija que al morir su madre, se da cuenta de que hay más en esta vida que *esta* vida.

La escena final llegaba a su dramático fin. Yo yacía en el oscuro dormitorio. La cama de utilería en que estaba recostada era incómoda y me resultaba difícil permanecer quieta. Estaba impaciente y ansiosa porque terminara el gran final de Helen.

Las candilejas brillaban sobre ella, la hija adolorida que empezaba a darse cuenta del verdadero significado del himno que cantaba mientras su madre fallecía.

"Maravillosa gracia, de Dios el rico don...", su voz se levantó sobre el dolor de la muerte de su madre y el gozo de las promesas de Dios.

"...que salvó a un pecador como yo...", algo real estaba pasándome mientras Helen cantaba. Desapareció mi impaciencia.

"...perdido andaba yo, más Él me encontró...", mi corazón fue tocado mientras lágrimas me rodaban por las mejillas.

"...yo era ciego, mas ahora puedo ver", mi espíritu empezó a moverse dentro de mí y me volví a Dios. En ese momento, conocí su amor, sus planes para mí.

La voz de Helen resonaba en la oración de la última nota. Cayó el telón.

Silencio absoluto. Se podía haber oído caer un alfiler. Helen estaba parada detrás del telón cerrado, con la cabeza inclinada y llorando suavemente.

Súbitamente se escucharon aplausos y exclamaciones de triunfo, y cuando el telón se levantó, Helen vio que la audiencia aplaudía de pie.

Todos hicimos nuestros saludos finales. Mis abrazos fueron genuinos, mi corazón había sido abierto al gran amor de Dios.

Luego terminó. Colgamos los trajes, nos quitamos el maquillaje y se apagaron las luces. Todos se fueron en sus grupos usuales, felicitándose mutuamente.

Todos, menos Helen. Y todos, menos yo.

"Helen, tu canción, fue tan real para mí", le dije al tiempo que se intensificaron mis sentimientos. "Con tu himno me llevaste hasta el corazón de Dios".

Helen suspiró, y sus ojos se encontraron con los míos.

"Eso fue lo que me dijo mi madre la noche que murió, corrió una lágrima por su mejilla y mi corazón se conmovió. "Mi madre tenía tanto dolor. Cantar 'Maravillosa gracia' siempre la reconfortó. Dijo que siempre debía recordar que Dios ha prometido el bien para mí, y que su gracia la llevaría a su eterno hogar".

Su cara se iluminó. El amor de su madre brillaba a través de ella. "Justo antes de morir, mi madre me susurró: 'Llévame con tu canto al corazón de Dios, Helen'. Esa noche y esta noche, canté para mi madre".

La bala

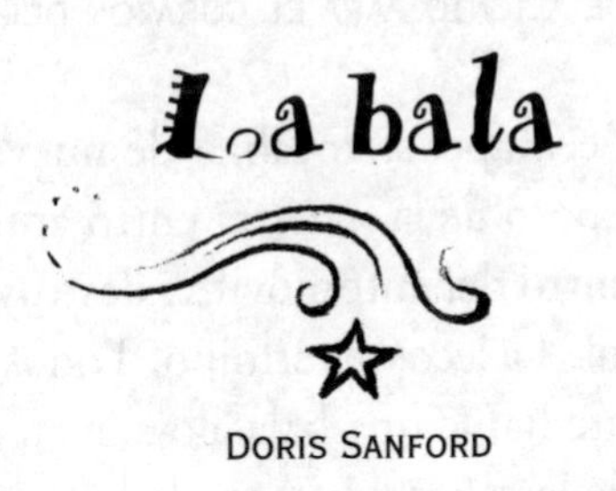

DORIS SANFORD

Era una tarde de finales de marzo y Anya estaba sentada en el automóvil aprendiendo de memoria versículos bíblicos. Lo hacía todas las semanas mientras que su hermanito Zeek, recibía su lección de piano. Su turno iba después; aprender los versículos implicaba repetirlos en voz alta y era mejor hacerlo dentro del vehículo. Ella era miembro del equipo de Biblia de la escuela, y eso requería saber una parte de uno de los libros de las Escrituras muy bien. Ella no tenía problema con eso, puesto que le encantaban las competencias.

Su maestra de piano vivía en una casa de dos pisos, y el piano estaba arriba. Antes de empezar la lección, Zeek le dijo a su mamá: "Quiero que mi hermanita escuche mi lección". La mamá le recordó que Anya necesitaba estudiar, además, ella lo había estado escuchando practicar toda la semana en casa, pero Zeek estaba decidido, bajó, y para sorpresa de su mamá, volvió con su hermana mayor casi a rastras.

Empezó la lección. Cinco minutos más tarde oyeron un fuerte ruido afuera. Todos se detuvieron para ver un automóvil de modelo reciente irse a toda velocidad. La lección volvió a empezar después que la maestra les aseguró que lo que habían escuchado había sido un ruido de algún vehículo.

Las manos de Zeek apenas tocaban de nuevo las teclas del piano, cuando el esposo de la maestra entró apresuradamente: "¡Un disparo ... dentro del automóvil...: destruyó la ventanilla del lado del pasajero!" La lección terminó. Todos corrieron abajo a ver. Ciertamente había una bala alojada en el respaldo del asiento, justo donde la cabeza de Anya había estado cinco minutos antes.

Todos lo supieron de inmediato. Dios había usado al chiquillo de siete años para salvar la vida de su hermana. Fue un momento de mucha emoción. Zeek había respondido cuando no tenía sentido para él, y para nadie, y Anya satisfizo su solicitud ilógica.

Los dos delincuentes que iban conduciendo por las calles de Salem, Oregón, disparando al azar a buzones de correo, vehículos y casas; fueron arrestados y se les impuso una fianza de un millón de dólares. El fiscal del distrito les pidió a Anya y a Zeek que fueran a la corte y contaran lo que había sucedido. Los jóvenes delincuentes fueron enviados a prisión por cinco años, no sin antes oír cómo Dios había protegido a un niño de siete años y a su hermana.

¡Tiburón!

Rick Bundschuh
Tomado de la revista "Breakaway" ("Desligarse")

Mientras todos los demás hogares en el tranquilo pueblo de Kalaheo, Kauai, todavía dormían en la oscuridad, la residencia Kauai Classic House (un hogar para surfistas profesionales) parecía un panal de abejas por su actividad. Jóvenes delgados y bronceados estaban tragando cereal, llenando galones de agua para usar como regaderas portátiles, y tirando tablas de surfing en la parte trasera de grandes camiones de doble tracción.

Era un ejercicio normal de "patrullaje al amanecer". El experto en video y entrenador del equipo de surfing, Bob Sato, dirigió a los "chicos" a los vehículos de espera. Ese grupo ganador de competencias, compuesto de jóvenes cristianos, tenía que llegar al punto desde donde salían al rayar el sol. Mike era parte del grupo.

Además de practicar el deporte, el papel de Mike en el equipo era editar las tomas de video de cada día y convertirlas en escenas llenas de acción. Su experiencia en el deporte de surfing (era campeón nacional de Nueva Zelanda y quinto lugar en los campeonatos juveniles de los Estados Unidos), le dieron la experiencia que necesitaba para editar los videos. El punto donde el equipo practicaría ese día era Major's Bay, un arco de arena blanca productor de olas, con un arrecife en el lado oeste de la isla.

Mientras Bob preparaba su equipo de video bajo los cielos cálidos de octubre, el resto de los muchachos sacaban sus equipos y preparaban sus tablas. Las olas estaban altas, al igual que las expectativas de los jóvenes.

Mike y sus amigos se metieron al agua, llevando sus tablas debajo de grandes olas en formación para llegar al lugar donde rompen las olas.

A los diez minutos de haber iniciado la sesión de surfing, con aproximadamente otros quince jóvenes en el agua, los invadió el terror.

Mike vio una ola respetable levantase detrás de sí. Deslizó su cuerpo sobre la tabla y empezó a impulsarse con los brazos, dando fuertes patadas en el agua para adquirir velocidad.

Todo sucedió en un instante, y sin advertencia alguna. Un tiburón tigre, de más o menos cinco metros de largo, salió de las profundidades y prensó las piernas de Mike. Él miró hacia abajo y vio elevarse la gran bestia verdosa. Sabía que un tiburón gigante lo atacaba.

El animal lo tiraba hacia abajo. Una presión fuerte y extraña, acompañada de un dolor espantoso le subió por las piernas. Mike fue halado de su tabla. Luego, el tiburón empezó a agitar su gigantesca estructura con tal violencia que, como Mike lo describió después, se sentía como "un juguete en el hocico de un perro".

"Estaba determinado a sacarme esa bestia de encima". Se agachó sobre el monstruo y empezó a pegarle puñetazos en la cabeza mientras que, al mismo tiempo, trataba de sacar sus pies de entre sus mandíbulas. Tuvo éxito parcial, ya que logró sacar un pie y luego el tiburón siguió agitándolo violentamente.

Finalmente, Mike estaba libre. Nadó hacia su tabla que flotaba cerca y vio a un surfista que estaba como a unos tres metros y había visto todo el drama. El muchacho, que no era miembro del equipo de Mike, se lo quedó mirando unos instantes, y luego pataleó como bote de motor en la dirección opuesta.

El tiburón le había desgarrado la pierna a Mike, justo debajo de la pantorrilla.

Afortunadamente, Mike no cayó presa del pánico. Se dejó llevar por una ola y llegó a la playa sin esfuerzo.

El grito "¡tiburón!" no tardó en hacerse oír por toda la playa y, pronto todos los surfistas estaban fuera del agua.

Habiendo nadado sobre su vientre hacia la arena, Mike intentó levantarse. "Por un momento olvidé que había perdido un pie", explicó Mike, "y enseguida me caí".

El surfista profesional Kyle Maligro fue el primero en acudir al auxilio de Mike. Kyle rápidamente ajustó la cuerda de una tabla en la pierna amputada como un torniquete.

Las heridas de Mike eran muy graves. Además de la pierna que había perdido, el otro pie tenía grandes heridas por haber permanecido prensado por los dientes aserrados del tiburón tigre. Había sido mordido en una mano, y las heridas eran tan profundas, que pensaron que había riesgo de que también la perdiera.

Sangraba profusamente, y por un momento, Mike se sintió casi invadido por el pánico.

¿Qué me va a pasar?, pensó, y la semilla del miedo empezó a crecer en su corazón. Luego Kyle empezó a orar por él. "Ese", dijo Mike, "fue el momento en que recobré la compostura".

Kyle todavía oraba cuando un camión de doble tracción llegó a toda velocidad haciendo volar arena. En un momento, Mike estaba acostado en la parte trasera del camión, acomodado entre tablas de surfing y envuelto en toallas de playa. El vehículo se dirigía a toda velocidad hacia el hospital más cercano, a unos pocos kilómetros de distancia.

El médico de emergencia, el doctor Ken Pierce, quien también practicaba surfing, estabilizó a Mike y luego lo hizo transferir a un hospital más grande al otro lado de la isla.

El pensamiento "*Voy a salir de ésta*", pasaba por la mente de Mike una y otra vez.

El encuentro de Mike con un tiburón rápidamente se esparció por toda la comunidad isleña. Sus amigos estaban tan preocupados que salieron de clases para ir a verlo. La sala de espera del hospital se desbordaba de estudiantes, amigos y familiares. Se realizaron varias reuniones de oración a lo largo del día.

Las oraciones fueron respondidas, no solamente con la recuperación sorprendente, sino también con la increíble actitud de serenidad que Mike reflejó durante toda la odisea.

La prensa local y nacional llegó para "cubrir la noticia" y los comentarios de Mike eran sobre lo afortunado que se sentía de estar vivo, y cómo estaba seguro de que Dios tenía una razón más allá de lo que él podía imaginar para ese accidente. Casi todas las historias noticiosas comentaron sobre su actitud de humildad y optimismo.

Otro detalle sorprendente, es que algunos días después, mientras que un canal de televisión estaba filmando esta historia, la marea trajo a la playa la pata de rana de natación de Mike, que el tiburón había destrozado entre sus dientes.

Cuando se le pidió que comentara lo que este trauma le había enseñado, los ojos de Mike se iluminaron.

"Aprendí que realmente no sabes cuánto puedes confiar en Dios sino hasta que sucede algo terrible. Nunca me pregunté: '¿Por qué yo?', pero todo esto con seguridad me hizo sentirme agradecido por todo lo que tengo. Definitivamente, me ha ayudado a identificarme con otros que han sufrido dificultades".

El primero de enero de 1998, apenas dos meses después de su encuentro con la muerte, Mike volvió a practicar surfing. Decidido a no permitir que "un tonto tiburón" le arruinara el gozo de practicar un deporte que ama tanto, Mike lleva sus muletas hasta la playa y luego, con su tabla bajo el brazo, salta en su pierna buena hasta el agua. De ese punto en adelante, sigue siendo tan bueno como antes.

Hoy, Mike practica surfing cada vez que tiene la oportunidad. Se ha hecho las pruebas para la prótesis de la pierna y sigue editando videos para su equipo. Habla del ataque del tiburón como "parte de algo que Dios permitió que sucediera por una razón mayor de la que podemos imaginar". Y lo dice con una sonrisa tan contagiosa, que todo el mundo sabe que realmente así lo cree.

El santo de Auschwitz

Patricia Treece
Adaptado por Max Lucado
Tomado de "Six Hours One Friday" (Seis horas un viernes)

Por todos los horribles recuerdos de Auschwitz hay uno que es bello. Es el recuerdo que Gajowniczek tiene de Maximilian Kolbe.

En febrero de 1941, Kolbe, que era sacerdote franciscano, fue llevado prisionero a Auschwitz. A pesar de las terribles condiciones del campo de concentración, él mantuvo la gentileza de Cristo. Compartió su comida, cedió su sitio para dormir, oró por sus captores. Por eso podríamos llamarlo el "Santo de Auschwitz".

En julio de ese mismo año, algunos prisioneros huyeron. Era costumbre en Auschwitz matar a diez prisioneros por cada uno que escapara. Se reunía a todos los prisioneros afuera y el comandante escogía al azar a diez hombres. Éstas víctimas eran llevadas inmediatamente a una celda donde no recibirían comida ni agua, hasta que morían.

El comandante inicia su selección, y los hombres van dando un paso adelante hasta llenar la siniestra cuota. El décimo nombre que llama es Gajowniczek.

Mientras los oficiales nazis revisan los números de los condenados, uno de ellos empieza a llorar. "Mi esposa y mis hijos", dice con dolor.

Los oficiales se dan vuelta al oír movimiento entre los prisioneros. Los guardias levantan sus rifles. Los perros se alistan, anticipándose a una orden de ataque. Un prisionero ha dejado su fila y va hacia adelante.

Es Kolbe que avanza sin temor en su rostro. El guardia le grita para que se detenga o se le disparará. "Quiero hablar con el comandante", dice con calma. Por alguna razón, el oficial no le pega ni lo mata. Kolbe se detiene a unos pasos del comandante, se quita el sombrero y mira al oficial alemán a los ojos.

"Herr Kommandant, deseo hacer una solicitud, por favor".

Era un milagro que nadie le hubiera disparado.

"Quiero morir en lugar de este prisionero", dice señalando al lloroso Gajowniczek. La audaz solicitud se presenta con toda firmeza y seguridad.

"No tengo esposa ni hijos. Además, soy viejo y no sirvo para nada. Él está en mejores condiciones que yo". Kolbe conocía muy bien la mentalidad nazi.

"¿Quién es usted?", pregunta el oficial.

"Soy sacerdote católico".

Todo el mundo está en silencio. El comandante, como cosa rara, permanece en silencio. Después de un momento, grita: "Petición concedida".

A los prisioneros jamás se les permitía hablar. Gajowniczek dice: "Sólo pude agradecerle con la mirada. Estaba petrificado y apenas podía asimilar la situación, la inmensidad de lo que sucedía: Yo, el condenado, viviría y alguien más, ofrece su vida voluntariamente por mí, un extraño. ¿Será un sueño?"

El santo de Auschwitz vivió más que los otros nueve. De hecho, no murió de sed o de inanición. Murió después que le inyectaron veneno en las venas, el 14 de agosto de 1941.

Gajowniczek sobrevivió al holocausto. Logró volver a su pueblo natal. Cada año, sin embargo, va de vuelta a Auschwitz.

Cada 14 de agosto vuelve a agradecerle al hombre que murió en su lugar.

En el jardín de su casa hay una placa tallada con sus propias manos. Un tributo a Maximilian Kolbe, el hombre que murió para que él pudiera vivir.

El color no importa

RANDY ALCORN

TOMADO DE "DOMINION" (DOMINIO)

"Bueno, niños, estoy esuchando algo que quiero aclarar. Quiero que entiendan que no todos los blancos son malos. Hay muchos buenos, y que nadie les diga lo contrario". Obadiah les hablaba a sus nietos, reunidos a su solicitud en la sala de estar una tarde. Ty estaba sentado a regañadientes, pero el abuelo había insistido en que estuvieran todos.

"Tenía treinta y cinco años cuando me enlisté en el ejército porque quería servir a mi patria. Había un soldado tejano que se llamaba Mike Button. Un día, estábamos haciendo maniobras en el campo en un calor espantoso. Así que descansamos un poco. Yo estaba parado a la sombra de un árbol y el viejo Mike vino y me dijo: 'Me olvidé la cantimplora. ¿Te importa si bebo de la tuya, Obadiah?' Me agaché para tomar la taza y servirle un poco de agua, pero Mike simplemente agarró la cantimplora. Se la puso en la boca y dio un gran trago. Bueno, en esos días los blancos no tomaban de la misma botella que los negros. Yo sabía que no era accidente. Mike lo hizo a propósito. Ese fue el principio de una rápida amistad entre ambos. Nos escribimos cartas cada Navidad hasta hace cinco años cuando él murió. Todavía le escribo a su viuda, pero mi mano tiembla tanto que no creo que pueda leer las cartas. Un día veré al viejo Mike otra vez porque él amaba a Jesús y yo también. Mis manos negras tomarán las suyas blancas y nos daremos un fuerte apretón de manos. Nadie podrá separar esas manos". Su ojo derecho comenzó a cerrarse, y vimos que una gran lágrima le rodaba por la mejilla.

"Cuéntanos de la época de la depresión, abuelo", dijo Jonah.

"Bueno, esos eran días, ya te digo. Mi hermano Elías, él viajaba conmigo entonces. No encontrábamos trabajo en Mississippi, que era donde vivíamos, así que empezamos a viajar en tren. Nos bajábamos en todos los pueblos y buscábamos trabajo todo el día. Casi todas las noches dormíamos a la intemperie. Buscábamos algunos diarios con los que nos cubríamos, y nos abrazábamos para no congelarnos. Amo a todos mis hermanos y hermanas, pero a ninguno como a Elías, y creo que él diría lo mismo de mí. Una vez, estábamos los dos en Detroit. Habíamos viajado tan al norte que hacía mucho frío. Estábamos acomodándonos para dormir en un callejón, y en la oscuridad oímos quejarse a alguien. Así que nos acercamos y vimos a un pobre hombre, tieso como tabla. Yo me acuesto a un lado y Elías al otro, y lo abrazamos.

"Él se asustó al principio, no puedo culparlo", Obadiah se rió, "pero logramos que nos dijera su nombre. Se llamaba Freddy. Eso fue lo único que dijo toda la noche, Freddy. Estaba frío como un pedazo de hielo, pero después de una media hora con su cara enterrada en mi viejo suéter, comenzó a descongelarse. Le dimos nuestro último trozo de pan. Lo necesitaba más que nosotros. Elías cantaba nuestros himnos espirituales, y después de una hora más, Freddy entró en calor. La voz de Elías lo hizo dormir. Nadie podía cantar como Elías. Bueno, al amanecer, Elías cantó 'Maravillosa gracia' y despertó al pobre Freddy. Por supuesto que para entonces nos dimos cuenta que Freddy era blanco. ¡Debieron verle la cara cuando se dio cuenta de que había pasado la noche como jamón en un sandwich negro!"

"¿Qué hizo entonces, abuelo?", preguntó Jonah.

"Pues se quedó allí, y empezamos a conversar. Cuando salió el sol, nos levantamos y buscamos trabajo juntos. ¡Y casi por una semana, el pobre Freddy pasó las noches en el mismo sandwich negro!"

"Freddy", dijo Obadiah de nuevo riendo tan fuerte que se quedó sin aliento. "Pero no les he dicho la mejor parte. Freddy nos preguntó por qué nos habíamos preocupado para hacerlo entrar en calor. Entonces le dijimos la razón. Era Jesús. Nos separamos después de esa semana, porque él vivía en Detroit, pero si íbamos a dormir en la calle, ¡Elías y yo preferíamos que fuera en Mississippi!"

"¿Qué pasó con Freddy?", preguntó Keisha.

"No sé. Nunca lo vi otra vez. Pero aprendimos una cosa. Hay dos ocasiones cuando el color no importa, una es cuando tienes hambre y frío, la otra, cuando conoces a Jesús".

Un pésimo día

Rachel Schlabach

Tomado de la revista "Campus Life" (Vida en la universidad)

Tengo una caricatura de *Calvin y Hobbes* en mi escritorio que dice: "Algunos días te levantas y sabes de antemano que las cosas no te saldrán bien. Son esos días cuando debes volverte a poner la ropa de dormir, preparar chocolate caliente y leer tiras cómicas en cama, hasta que el mundo se vea mejor".

Levantarme un lunes con una tormenta me hizo sentirme así, y la escuela sólo empeoró mi mal humor. En la clase de periodismo, olvidé escribir ideas para nuestro periódico. En geometría, dejé la última parte del examen en blanco, porque había olvidado la fórmula para resolver los problemas. Y en historia, reprobé unas preguntas.

Al final de mi terrible día, encontré una nota en mi casillero que decía: "Rachel, espérame en la cafetería después de la escuela. Quiero hablar contigo. Gracias, Leslie".

¿Qué será lo que quiere?, me pregunté. Leslie y yo casi no nos hablábamos y no éramos muy amigas.

Cuando llegué a la cafetería, Leslie se me acercó y me dijo: "Rachel, sé que mi nota pudo parecerte extraña, pero quería decirte algo… papá dejó a mamá la semana pasada… bueno, nos dejó".

Entre dolorosas lágrimas continuó: "Realmente no sé por qué te estoy contando esto a ti, pero pareces el tipo de persona que se preocupa por los demás".

Cuando dejó de hablar, dije lentamente: "No sé por qué te estén pasando estas cosas, pero quiero que sepas que estoy dispuesta a conversar, o a escucharte, que puedes hablar conmigo cuando quieras".

Luego le hablé del amor de Dios y le dije que a Él le importaba profundamente lo que a ella le pasaba en su vida. Para el final de nuestra conversación, la mirada de dolor en su rostro se había desvanecido un poco.

La miré caminar por el pasillo y me di cuenta de que mi supuesto "terrible día", no era nada comparado con lo que Leslie estaba enfrentando. Y me di cuenta de algo más. Aún cuando estoy de mal humor, Dios puede intervenir y decirte: "¡Deja de sentir lástima de ti misma! Quiero que ayudes a alguien hoy".

Cuando salí afuera, el sol estaba brillando al fin. Fue como si Dios me estuviera dando una gran sonrisa al final de un … bueno, un lunes bastante increíble.

Siempre hay una razón

Missy Jenkins
Según lo relato a Kay Lawing Gupton
Condensado de la revista "Today's Christian Woman"
(La mujer cristiana de hoy)

El primero de diciembre de 1997 empezó como cualquier otro día de escuela, nada fuera de lo normal. Mi hermana gemela, Mandy, y yo, planeábamos hacer nuestras tareas después de la escuela, como siempre. Luego, yo iba a estudiar mi manual del conductor para poder ir a obtener la licencia de conducir el 24 de diciembre, el día de nuestro cumpleaños.

Mandy y yo habíamos empezado nuestro segundo año en la secundaria Heath, con las clases de siempre: historia, álgebra, periodismo, inglés, coro, banda. También empezamos a asistir a un grupo de oración matutino.

Pero como a las siete y cuarenta y cinco esa mañana, cuando nuestro grupo de treinta y cinco estudiantes terminaba el dovocional, un compañero de clases, Michael Carneal, empezó a disparar. Al principio, Mandy y yo creímos que era un simulacro. El tiro del arma sonaba falso, como en la televisión, pero cuando una bala pasó rozando el cabello de Mandy, ella supo que era real. Mandy se lanzó sobre mí.

Me habían disparado, pero no me di cuenta de inmediato. No estaba consciente de ningún dolor, sólo tenía una sensación de presión. Me sentía como si me hubieran golpeado. Estaba confundida y aturdida, y no podía creer lo que acababa de pasar. De hecho, todavía es increíble. Después del tiroteo, la ambulancia me llevó al Hospital Lourdes, cerca de la escuela. Los médicos me dijeron que la bala me entró por el hombro izquierdo y me hirió la columna vertebral. Como resultado, estoy paralizada de la cintura para abajo. Me dijeron que nunca podré caminar de nuevo.

La primera semana en el hospital estuve muy enferma, con náuseas, líquido en los pulmones, hinchazón alrededor de la columna. Una vez que todo eso mejoró, empezaron con mi terapia. Primero fue acostumbrarme a estar de nuevo en posición vertical. Luego empecé ejercicios para fortalecer los brazos y el torso. También empecé a aprender a movilizarme en silla de ruedas.

Al principio me tomaba cuarenta y cinco minutos vestirme. Aprender de nuevo a hacer todas las cosas era tan difícil que me cansaba o me hacía sentir enferma.

Luego, en febrero fui al hospital de rehabilitación Cardinal Hill, en Lexington, a unos cuatrocientos kilómetros de nuestra casa, para seguir con terapia especializada. Mi familia fue conmigo, mi madre, Joyce; mi padre, Ray; mi hermana mayor, Christie, y por supuesto, Mandy, y alquilaron un apartamento. Empecé terapia física diaria, incluyendo ejercicios aeróbicos para elevar el ritmo de mi corazón. Uno de éstos era la bicicleta de brazos, que es exactamente lo que harías con los pies, sólo que lo haces con los brazos para fortalecerlos.

Otro evento diario era la terapia ocupacional. Allí aprendí a trasladarme de la silla de ruedas a la bañera, y a ponerme los zapatos.

Los mejor de mis terapias diarias era la terapia recreacional. Jugaba baloncesto, lanzaba frisbees y nadaba. También tenía que estar de pie media hora diaria, así que Mandy y yo jugábamos cartas para pasar el tiempo.

Gracias a Dios, pude salir del hospital a tiempo para terminar mi segundo año de secundaria. La terapia física continuó a diario, aun en la escuela. Los terapistas venían a la escuela de mañana para ayudarme a estirar las piernas, estar sentada por mucho tiempo en una silla de ruedas las pone rígidas.

De vuelta en la escuela me sentía cómoda porque todos me trataban como si la silla de ruedas no existiera. Movilizarme en la silla de ruedas es más frustrante de lo que yo pensaba que sería. La mayoría de los lugares no son accesibles a una silla de ruedas. Las cosas que antes eran sencillas de hacer, hoy, son difíciles. Antes, ni siquiera les prestaba atención.

He pensado en Michael y me he preguntado por qué tomó un arma y nos disparó. Mandy y yo lo conocíamos; habíamos estado con él en la banda, viajamos en el mismo autobús en las excursiones. Bromeábamos con él y compartíamos los mismos amigos. Todo el mundo conoce a todo el mundo en Heath. Nadie pensaba que Michael fuera extraño, peligroso, ni nada por el estilo.

Michael nos quitó tanto a tantos de nosotros ese día, pero yo creo que odiarlo no es lo correcto. No me corresponde a mí juzgarlo o decidir qué deba pasarle a él. Es a Dios a quien le corresponde juzgarlo. Además, odiar a Michael no me hará caminar ni traerá a mis compañeras de escuela, Kayce, Jessica y Nicole, de vuelta a la vida. Sus muertes aún parecen irreales.

De ellas tres, Kayce era la más cercana a mí. Cada día pienso en ella y los momentos de alegría que compartimos, las fiestas, la banda, los amigos. Sé que las tres están en el cielo, pero eso no evita que extrañe a Kayce. Nada sucede sin una razón, aun esto, así que de alguna manera Dios hará que algo bueno resulte de esto. Yo lo creo.

Siento pena por Michael. A diferencia de él, yo puedo seguir con mi vida. Tengo muchos amigos que me apoyan. No estoy molesta con él. Puedo perdonarlo. Realmente odiaría la sensación de llevar una amargura en mi corazón.

Mucha gente me ha dicho que mi buena actitud ha sido de inspiración para ellos. Creo que ése es mi propósito.

Los temores de la quinta hora de clase

ROBIN JONES GUNN
TOMADO DE LA REVISTA "WORLDWIDE CHALLENGE"
(DESAFIO MUNDIAL)

Cuando estaba en la secundaria, odiaba mi clase de gobierno de la quinta hora. La maestra era aburrida, ninguno de mis amigos estaba en esa clase y el chico que se sentaba delante de mí era un patán. Medía casi un metro noventa, tenía el pelo largo, y usaba sandalias de cuero estilo "hippie". Su resonante risa era casi del tamaño de él. Mike no solamente me intimidaba, sino que también le encantaba molestarme, y eso me molestaba mucho.

Yo era la buena chica cristiana que nunca iba a los bailes de la escuela y él era el salvaje fiestero que cada lunes relataba a viva voz sus escapadas de fin de semana y se reía cuando yo me ruborizaba o daba vuelta la cara. Odiaba su risa.

Empecé a llevar mi Biblia a clase un tiempo durante ese semestre de la clase de gobierno. Era una edición con portada de cartoncillo, *Buenas Nuevas para el Hombre Moderno*, y yo le había hecho una cubierta de material floreado de color rosa. Un pequeño grupo de cristianos se reunía a la hora del almuerzo y yo llevaba la Biblia camuflada. Se referían a nosotros como los "raró-filos de Jesús". Para ser un rebaño tan pequeño me sorprendía que los demás estudiantes supieran quiénes éramos y por qué nos reuníamos, especialmente estudiantes como Mike.

"¿Oraron hoy por mí los rarófilos de Jesús?", se burló Mike un día cuando entré a clase de gobierno después del almuerzo.

No respondí, pero eso no le importaba porque recibía la respuesta que esperaba que era la carcajada de todos sus amigos sentados a nuestro alrededor. Me deslicé en mi asiento deseando que la maestra se apresurara y empezara la clase.

"¿Qué es esto?", dijo Mike, agarrando bruscamente mi Biblia cuidadosamente escondida y abriéndola.

Rápidamente traté de quitársela, pero sus largos brazos la sostuvieron sobre su cabeza mientras pasaba las páginas. Disfrutando de lo que hacía, dijo: "¡Oh, qué linda Biblia rosada! ¡Y miren, hasta tiene dibujitos!" Se la mostró a todos sus amigos, y ellos respondieron con las carcajadas y burlas anticipadas.

Ahogada por la humillación, le arrebaté la Biblia y exclamé la cosa más tonta que pude haber dicho jamás: "¿Por qué no te salvas de una vez por todas y me dejas en paz?"

Por supuesto, eso arrancó una salvaje carcajada de Mike a la que se unieron todos sus amigos, y trajo suficiente atención a la parte de atrás del salón, por lo cual la maestra nos regañó.

Con mi Biblia de vuelta en mis temblorosas manos, valientemente retuve las lágrimas y acomodé mi herido tesoro sobre mi regazo por el resto de la clase.

Al siguiente día, me debatí entre llevar mi Biblia a la escuela o no. Sabía que Mike probablemente la usaría para continuar burlándose de mí. No sé por qué, pero la llevé conmigo. En nuestra reunión al almuerzo, les pedí a mis amigos que oraran por mí y por Mike. Mis amigos me animaron y me dieron todo tipo de respuestas astutas que podía darle, así como otras herramientas de testimonio que podía usar con Mike.

Entré a clase de gobierno lista para que Dios me convirtiera en una ferviente testigo. Como lo anticipé, Mike interceptó mi Biblia aún antes que me sentara.

"Veamos cuál es la inspiración espiritual del día", dijo. La abrió al azar y leyó un versículo que no tenía significado sin contexto y que sonaba ridículo. Su sección de amigos se rió, y rápidamente la abrió de nuevo en otro pasaje, leyéndolo con sus mejores tonos dramáticos de predicador.

Todas las rápidas y astutas respuestas de testimonio con las que me habían entrenado, se me escaparon. Me senté allí, helada, inmóvil, sintiéndome horrible por defraudar al Señor de esa manera. Me encogí mientras Mike leía otro versículo en sus tonos de predicador; dijo una broma que tenía a todos sus amigos muertos de risa.

Sin quererlo, las lágrimas salieron, surcándome el rostro. *¿Cómo puede estar pasando esto?* No tenía palabras. Me senté totalmente quieta, y consciente de cómo me he de haber visto, una silenciosa y torpe tonta.

Al mismo tiempo que Mike abría el próximo pasaje al azar, me miró y su expresión cambió. En lugar de leer otro versículo para oír las carcajadas de sus amigos, cerró la Biblia y en tono de broma dijo algo así como que era suficiente inspiración para un día. Puso la Biblia de vuelta sobre mi libro de gobierno, yo bajé la cabeza llena de vergüenza y me sequé las lágrimas.

Diez años después de graduarnos, cuando llegó la reunión de ex alumnos, le dije a mi esposo que no estaba muy interesada en ir. Había tenido muy pocos amigos en la escuela secundaria y no había salido con nadie, ni había sido parte de ningún club. Él aún pensaba que debíamos ir, pues nos habíamos perdido la de él, así que fuimos.

La noche de la reunión, no muy convencida, me subí al ascensor del hotel con rumbo al piso que correspondía. Las puertas se abrieron y parado frente al ascensor estaba un hombre muy guapo, alto, vestido con un traje caro. Una bella rubia estaba a su lado.

"¡Robin!", dijo el hombre, envolviéndome en sus brazos con un entusiasta abrazo mientras yo salía del ascensor. "¡Esperaba que vinieras!" Se separó de mí y volviéndose a la mujer a su lado le dijo: "Ella es de quien te hablé".

Mi esposo se dio vuelta y susurró en mi oído: "Pensé que dijiste que no tuviste amigos en la secundaria".

"¡No tuve!" le respondí, "no tengo idea de quién es él".

"¿No me recuerdas, verdad?" preguntó el hombre misterioso, con una sonrisa de oreja a oreja. "Pues yo sí me acuerdo de ti, y seguí tu consejo".

Miré al hombre, luego miré a mi esposo, y después miré a la esposa del hombre. Ella pareció repentinamente hacer la conexión. "Oh, mi amor", dijo, "¿es ella la que te dijo que por qué no te salvabas de una vez por todas y la dejabas en paz?"

Respondió con una explosiva carcajada y supe que se trataba de Mike. Después de rápidas presentaciones, Mike me contó cómo finalmente aceptó a Cristo durante su primer año en la universidad. "Cuando llegué al fondo del hoyo", explicaba Mike, "me acordé de ti y de algunos de los rarófilos de Jesús de la secundaria, y fui a buscar a algunos que estaban en mi misma universidad. Ellos me guiaron al Señor".

Me estremecí ante el recuerdo de mis patéticas habilidades de testimonio en la secundaria y dije algo sobre las cosas tontas que le dije en la clase de gobierno, y que sabía que debí haber ahuyentado a la gente en lugar de acercarla al Señor.

Mike se rió y ahora el sonido de su risa me pareció cálido. Gentilmente sacudió la cabeza: "No fue nada que dijiste. Fue el día que lloraste. Ese día vi algo que no había visto nunca antes: una chica enamorada de Dios. Por mucho tiempo recordé tus lágrimas, porque solamente alguien que está realmente enamorado, puede llorar así".

Vuelve a casa

HEATHER FLOYD

TOMADO DE "STEADY ON ... SECURED BY LOVE"
(HACIA DELANTE ... SEGURO EN TU AMOR)

Estoy en un viaje, un emocionante viaje lleno de aventura. Es un viaje en el camino de la vida. A lo largo de mi viaje, experimento emociones y fracasos, y encuentro altas montañas y amplios valles.

He cruzado muchas veces en los lugares equivocados y he tomado algunos desvíos que me han hecho perderme innumerables veces en la selva. Pero, de alguna manera, siempre encuentro mi camino de vuelta el camino principal, el camino angosto. Dios lo mantiene señalado para que yo siempre pueda encontrar mi camino a casa.

Así como en las cálidas noches de verano puedes ver las luces de un campo de fútbol desde el otro lado del pueblo, aunque esté a una gran distancia, si sigues las luces, finalmente encuentras tu camino hacia el campo. La luz de Dios es así. Penetra la oscuridad y brilla fuertemente, y si tú la mantienes a la vista y sigues hacia ella, finalmente llegarás a estar allí, con él.

Pero algunas veces la libertad del ancho camino parece más divertida que las limitaciones del camino angosto. Y me encuentro caminando sin rumbo fuera de curso y lejos de Dios. En el camino ancho yo hago mis propias reglas y tomo mis propias decisiones. Y eso me gusta… por un rato. Pero pronto el aire allí se torna amargo o insípido, y las multitudes me presionan, me siento sudorosa y cubierta de polvo. Empiezo a sentir como si me sofocara. Es tan oscuro y me siento tan sola, aunque estoy rodeada de otros miles de almas perdidas. En mi desesperación, como loca, empiezo a buscar la luz. Finalmente la veo, pero está lejana y yo estoy cansada. Quiero darme por vencida y descansar allí donde estoy, pero sé que eso me ocasionará problemas. Es como si decidieras dormirte en tu automóvil en el camino en medio de la nada. Cualquier cosa podría sucederte.

Estoy tan cansada y tan lejos de casa, y he acumulado tanto equipaje que no pudeo cargarlo sola. He permanecido lejos de la luz por tanto tiempo que casi me he olvidado de que hay gente que realmente quiere ayudarme, y que hay Uno que es fuerte y amoroso y quiere llevar mi carga. Me extraña y quiere que vuelva a casa.

Pero estoy tan avergonzada. Le di la espalda; no puedo pedirle ayuda ahora. No puedo ir a casa. Sólo mírame; tengo la cara sucia, la ropa hecha jirones y el cabello desarreglado, tal como mi vida. Tengo el cuerpo cubierto de cortaduras y cicatrices, y sé que están allí como consecuencia de mis propias decisiones malas.

No puedo ir a casa... no así. Miro de nuevo mi triste derredor, luego levanto el rostro hacia el camino magnífico que está a la distancia, todo iluminado y esperando por mí. Sé que quiero ir allí; quiero experimentar una vez más la calidez de la luz, y oigo un sonido que viene desde el camino luminoso. El sonido se hace más fuerte y es tan bello, como alguien que te anima con alegría. Luego escucho mi nombre. No puedo creerlo. Alguien me está llamando. Empiezo a caminar hacia adelante para oír mejor, y antes de darme cuenta estoy corriendo tan rápido que no puedo detenerme. La voz me es tan conocida. Finalmente, veo de dónde viene. Es la visión más gloriosa que jamás he tenido. Una multitud de gente, gritando mi nombre y dándome ánimo, puedo reconocer a algunos, a otros no, pero todos están victoreando mi llegada. Y cuando me ven, me dan más exclamaciones de ánimo, como si fuera a anotar el punto decisivo en una competencia.

Luego lo veo a Él. Su rostro resplandeciente, su mirada fija en la mía. Lo reconozco de inmediato. Es mi Creador, mi Salvador, y no espera a que yo llegue hasta Él, sino que corre hacia mí y me abraza, con lágrimas en su rostro.

¡Estoy en casa! Sí, estoy en casa rodeada de todos aquellos a quienes más amo, gente que ha intercedido por mí ante nuestro Creador y que con sus oraciones crearon un cerco protector a mi alrededor para que nada malo pudiera penetrarlo.

¿Te has desviado alguna vez en el viaje de la vida? ¿Te has perdido del camino angosto y te has visto entorpecido por las luces y los sonidos de las masas? ¿Has sentido como si no pudieras encontrar tu camino de vuelta a casa? Todos hemos estado allí. Todos nos hemos perdido. Todos nos hemos desviado del camino. Pero tu historia puede terminar igual que la mía. El camino a tu amante Padre celestial siempre está iluminado y siempre serás bienvenido en él. Hay gente que aún en este momento, está dándote ánimos y hay un Salvador que espera ansiosamente que vuelvas tu rostro hacia el hogar. Cuando des los primeros pasos a casa, Él correrá a recibirte.

Es tan fácil distraerse y perderse del camino que Dios ha puesto para nosotros. Y cuando nos encontramos en esos lugares oscuros, hacemos cosas que no queremos que nadie vea. Si la luz se encendiera sobre nuestro pecado, nos horrorizaríamos. Si te encuentras un día haciendo algo que no quisieras que la gente sepa, suena una alarma en tu cabeza y te advierte que te detengas. Pero Dios sí ve todo lo que hacemos. Imagínate viviendo en una casa de espejos. Para donde mires, estás tú. Todo lo que haces, te ves hacerlo. Dios es nuestra casa de espejos. A donde vayamos, va El. Todo lo que hacemos, Él lo ve. Todo lo que decimos, Él lo escucha.

El desafío es permanecer constantemente conscientes de su presencia y mantener nuestros pies firmemente plantados en su camino. Porque proclamo el nombre de Cristo, se me ha llamado a vivir bajo un nivel más alto. Nunca seré completamente como Él; trataré de ser más como Él, cada día.

Y si me pierdo, Él fielmente me esperará al final del bien iluminado camino.

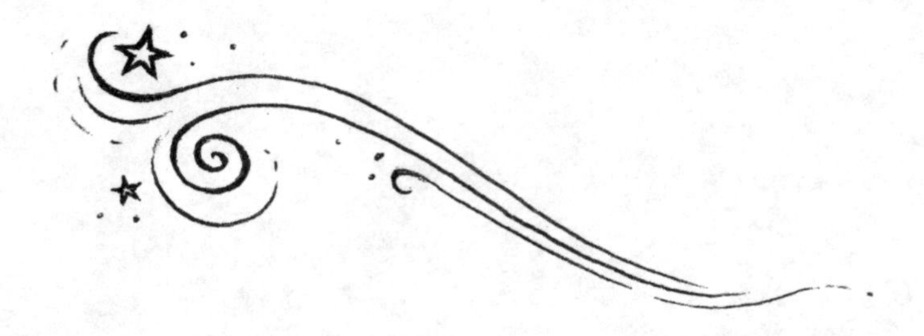

Todo tiene su momento oportuno;

hay un tiempo para todo lo que se hace bajo el cielo:

un tiempo para nacer, y un tiempo para morir;

un tiempo para llorar, y un tiempo para reír.

Eclesiastés 3:1-2, 4 (NVI)

Envíanos tus historias para más Historias de aliento para el corazón del joven

Nos encantaría que nos enviaras una historia o una cita para nuestro próximo libro para adolescentes.

Si no escribes la historia tú mismo, por favor envíanos tanta información como puedas sobre dónde la encontraste, cosas como el nombre y dirección del autor, nombre del libro o revista, fecha en que se publicó, número de página, casa editorial y cualquier otra información que tengas. Te daremos crédito tanto a ti, como al autor original.

Si tú mismo escribes la historia, por favor, envíanos tus datos completos, tu nombre, dirección, y lo que haces.

Si nos envías algo, no podremos acusar su recibo, pero te prometemos ponernos en contacto contigo si es que lo usamos en alguno de los libros de la serie *Historias de aliento para el corazón del joven.* Por favor, asegúrate de incluir tu nombre, dirección y número telefónico.

Envía tus historias a:

Multnomah Publishers, Inc.
Stories for the Heart
P.O. Box 1720
Sisters, Oregon 97759
U.S.A.

Reconocimientos

Para recopilar esta colección, se investigó en más de mil libros y revistas, así como cientos de historias enviadas por amigos y lectores de la colección *Historias de aliento para el corazón.* Se hizo una búsqueda diligente a fin de ponernos en contacto con cada persona, y se ha obtenido permiso para publicar cuando ha sido necesario. Si hemos pasado por alto darle el crédito apropiado a cualquier persona, por favor, acepten mis disculpas. Si se pone en contacto con Multnomah Publishers, Inc., Post Office Box 1720, Sisters, Oregon 97759, U.S.A., haremos las correcciones necesarias antes de imprimir tirajes nuevos.

Las notas y los reconocimientos se listan por título de historia en el orden en que aparecen en cada sección del libro. Para obtener autorización para volver a imprimir cualquiera de las historias, por favor diríjase a la fuente original que se lista a continuación. Se agradece a los autores, publicadores y agentes que dieron su autorización para la reimpresión de estas historias.

FAMILIA

"Love's Sacrifice", por Kathi Kingma. Usado con autorización del autor.

"Nine Words", por H. Jackson Brown, Jr. Tomado de *Life's Little Treasure Book on Marriage and Family* por H. Jackson Brown, Jr. © 1994. Reimpreso con autorización de Rutledge Hill Press, Nashville, Tennesee.

"Prom Date", por Sean Covey. Reimpreso con autorización de Simon & Schuster Inc. del libro THE 7 HABITS OF HIGHLY EFFECTIVE TEENS por Sean Covey. © 1998 por Francklin Covey Co.

"Grandma's Gift", por Wayne Rice. Tomado de MORE HOT ILLUSTRATIONS FOR YOUTH TALKS por Wayne Rice. © 1995 por Youth Specialties, Inc. Usado con autorización de Zondervan Publishing House.

"Not All Valentines Come in Envelopes", por Robin Jones Gunn. Usado con autorización de la autora, quien ha publicado más de cuarenta y cinco libros incluyendo MOTHERING BY HEART y la serie Glenbrooke por Multnomah Publishers, y la serie Christy Miller.

"Stick Shift", por Clark Cothern. Tomado de AT THE HEART OF EVERY GREAT FATHER por Clark Cothern. © 1998. Usado con autorización de Multnomah Publishers, Inc.

"Love Letters to My Unborn Child", por Judith Hayes. Usado con autorización de la autora. Mi historia "Love Letters" salió del corazón de una joven que iba a ser madre. Tuve una niñez muy triste, pero estaba determinada desde el principio a expresarle mi amor a mis hijos. Sasha es ahora enfermera pediátrica y está felizmente casada.

"Mom's Note", tomado de *P.S. I Love You*, por H. Jackson Brown, Jr. Reimpreso con autorización de Rutledge Hill Press, Nashville, Tennessee.

"Love Wins", por Patsy G. Lovell. Condensado de *Focus on the Family* (oct. 1993), © 1993 Patsy G. Lovell. Usado con autorización de la autora.

"A Father, a Son and an Answer", por Bob Greene. © Tribune Media Services, Inc. Todos los derechos reservados. Reimpreso con autorización de la edición de mayo de 1995 del *Reader's Digest* y Tribune Media Services.

"Come Home", por Max Lucado. Tomado de NO WONDER THEY CALL HIM SAVIOR, por Max Lucado, © 1986. Usado con autorización de Multnomah Publishers, Inc.

"A Different Kind of Tears", por Sundi Arrants. Usado con autorización de la autora.

"Because", por Adria Dobkin. Usado con autorización de la autora. Del discurso de graduación de Adria Dobkin; Escuela Secundaria Mountain View, Bend, OR; 1999.

Caricatura de Rick Stromoski, Humorously Illustrating, rstromoski@aol.com. Usado con autorización.

"A Father's Blessing", por Morgan Cryar. Este artículo fue tomado de la revista *Decisión*, junio 1998; © 1998 Asociación

Evangelística Billy Graham. Usado con autorización. Todos los derechos reservados.

INSPIRACIÓN

"Triumph Over Tragedy", por Valeen Schnurr según lo relató a Jana L. Graber, periodista que se especializa en historias personales. Jana escribe para el *Chicago Tribune* y para revistas como *Family Circle, Virtue* y *Moms on Call*. Usado con autorización de la autora.

"A Mother's Love", por David Giannelli. David es bombero y trabaja en Ladder Company 175, 165 Bradford Street, Brooklyn, New York 11207. Esta historia apareció por primera vez en CHICKEN SOUP FOR THE PET LOVER'S SOUL. Usado con autorización del autor.

"The Real Winner", por Amanda Cornwall. Una versión anterior de esta historia apareció en TREASURES 3: STORIES & ART BY STUDENTS IN JAPAN & OREGON, editado por Chris Weber y publicado por Oregon Students and Art Fondation, © 1994. Reimpreso con autorización.

"¡Unbelievable!", por Norman Vincent Peale. Condensado con autorización de Simon & Schuster, Inc. de YOU CAN IF YOU THINK YOU CAN por Norman Vincent Peale. © 1974 por Norman Vincent Peale.

"Twelve Five-Dollar Bills", adaptado de ONE SMALL SPARROW. Para mayor información sobre jóvenes que ayudan a jóvenes con necesidades médicas, lea sobre Sparrow Foundation en www.sparrow-fdn.org.

"For My Sister", por David C. Needham, tomado de CLOSE TO HIS MAJESTY (Sisters, Oregon, Multnomah Books, una división de Multnomah Publishers, Inc., 1987). Usado con autorización.

"Maria's New Shoes", por Mary-Pat Hoffman. Fuente original desconocida.

Caricatura de Rick Stromoski, Humorously Illustrating, rstromoski@aol.com. Usado con autorización.

"More Out of Life", por Joe White. Extracto tomado de OVER THE EDGE AND BACK por Joe White. © 1992. Usado con autorización del autor.

"A Christmas Gift I'll Never Forget", por Linda DeMers Hummel. Reimpreso con autorización de la autora y de la edición de diciembre de 1994 del *Reader's Digest.* Impreso originalmente en la revista *Family Circle.*

AMIGOS

"Sunshine", por Sarah Wood. Reimpreso de "Friends", editado por Carl Koch, Saint Mary's Press, Winona, MN. Usado con autorización del publicador. Todos los derechos reservados. Usado con autorización del autor.

"Annie", por Samantha Ecker. Reimpreso de "Friends", editado por Carl Koch, Saint Mary's Press, Winona, MN. Usado con autorización del publicador. Todos los derechos reservados. Usado con autorización del autor.

"The Green-Eyed Monster", por Teresa Cleary. Extracto tomado de WWJD STORIES FOR TEENS por Karen DeSollar. Honor Books, Tulsa, OK, © 1998. Reimpreso con autorización.

"Downhill Race", por Shaun Schwartz. Una versión anterior de "Downhill Race" por Shaun Schwartz apareció en TREASURES 2: STORIES & ART BY STUDENTS IN OREGON, editado por Chris Weber y publicado por Oregon Students Writing and Art Foundation, © 1988. Reimpreso con autorización.

"My Name is Ike", por Gary Paulsen. Extracto tomado de MY LIFE IN DOG YEARS. Dell Publishing © 1998 por Gary Paulsen.

"Diamonds", por Irene Sola'nge McCalphin. Reimpreso de "Friends", editado por Carl Koch, Saint Mary's Press, Winona, MN. Usado con autorización del publicador. Todos los derechos reservados. Usado con autorización del autor.

"The Friendly Rival", por Bruce Nash & Allan Zullo. Reimpreso con autorización de Simon & Schuster Books for Young Readers, un sello de Simon & Schuster Children's Publishing Division, tomado de THE GREATEST SPORTS STORIES NEVER TOLD por Bruce Nash y Allan Zullo. © 1993 Nash & Zullo Productions, Inc.

"What's the Big Deal?", por Julie Berens. Extracto de WWJD STORIES FOR TEENS por Karen DeSollar. Honor Books, Tulsa, OK, © 1998. Reimpreso con autorización.

"Happy Camper", por Elesha Hodge. Reimpreso con autorización de la Revista *Campus Life*, Christianity Today, Inc. © 1999.

"Cincinnati", por Holly Melzer. Reimpreso de "Amigos", editado por Carl Koch, Saint Mary's Press, Winona, MN. Usado con autorización del publicador. Todos los derechos reservados. Usado con autorización del autor.

"Our Friendship Tree", por Harrison Kelly, escritor que vive en Bartlett, TN, y cuyo trabajo ha aparecido en las series *Chicken Soup for the Soul*, y *Stories for the Heart*, entre otras.

PALABRAS DE ALIENTO

"God Has a Plan for Your Baby", por Nancy Sullivan Geng. Usado con autorización de la autora.

"T. J.", por Susan Cunningham Euker. Extracto de HEART AT WORK por Jack Canfield & Jacqueline Miller. The McGraw-Hill Companies, New York, NY, © 1996. Usado con autorización del publicador.

"Information Please", por Paul Villiard. Reimpreso con autorización de la edición de junio de 1966 de *Reader's Digest*. © 1966 por Reader's Digest Assn., Inc.

"A Student's Plea", por Melissa Ann Broeckelman. Usado con autorización de la autora.

"Molder of Dreams", por Guy Rice Doud, de *Molder of Dreams*, un libro de Focus on the Family por Tyndale House. © 1990 por Guy Doud. Todos los derechos reservados. Derechos de autor asegurados internacionalmente. Usado con autorización.

"Chasing Rainbows", por De'Lara Khalili de la revista *Campus Life*. Usado con autorización de la autora.

"Grandma's Garden", por Lynnette Curtis.

"From Chicago, With Love", condensado de la Revista *Chicago Tribune Magazine,* diciembre 19, 1993 por Marvin J. Wolf. © Marvin J. Wolf 1993, 1994, 1999. El autor fue el único soldado norteamericano que llegó a Vietnam como soldado raso y regresó con el grado de Teniente Segundo de Infantería. Más obras de su trabajo se pueden encontrar en http://come.to/marvwolf.

"Picking up the Pieces", por Jennifer Leigh Youngs. *Taste Berries for Teens* © 1999. Usado con autorización.

"The Winner", por Sharon Jaynes. © 1998. Sharon Jaynes es la vicepresidenta de Proverbs 31 Ministry, y coanfitriona de un programa radial diario, y conferencista. Vive en Charlotte, North Carolina.

"The Red Chevy", tomado de *Sons: a Father's Love* por Bob Carlisle, © 1999. Word Publishing, Nashville, Tennessee. Todos los derechos reservados.

"Tough Teacher", por Renie Parsons. Renie es escritora y conferencista inspiracional que se enfoca en desarrollar conexiones creativas entre Dios y la mujer. Renie y su esposo, Robert, recién acaban de celebrar veintisiete años de matrimonio. Son padres de Holly y Heather, y viven en Schaumberg, Illinois, con sus dos gatos. Puede ponerse en contacto con ellos usando esta dirección: creativeconnections@ibm.net.

Caricatura por Rick Stromoski, Humorously illustrating, rstromoski@aol.com. Usado con autorización.

"All Changes Begin With You", por Sean Covey. Reimpreso con autorización de Simon & Schuster, Inc. Tomado de THE 7 HABITS OF HIGHLY EFFECTIVE TEENS por Sean Covey. © 1998 por Franklin Covey.

"A Basket of Love", por Chris A. Wolf. Una versión condensada de este artículo apareció en la edición de marzo/abril de 1999 de *Christian Reader*. Para autorización de reimpresión, por favor comuníquese con Chris Wolf, 3045 Archibald Ave., Ste. H, PMB #303, Ontario, CA 91761.

BUENOS TIEMPOS

"We Would Have Danced All Night", por Guy Rice Doud. Extracto tomado de MOLDER OF DREAMS por Guy Rice Doud, un libro de Focus on the Family publicado por Tyndale House, © 1990 por Guy Doud. Todos los derechos reservados. Derechos de autor protegidos internacionalmente. Usado con autorización.

"For the Love of Strangers", por Robin Jones Gunn. Usado con autorización de la autora, quien retiene todos los derechos. Reimpreso de la revista *Virtue*, sep/oct. 1989.

"Driving Lessons", tomado de *The Grace Awakening* por Charles Swindoll, © 1990, Word Publishing, Nashville, TN. Todos los derechos reservados.

"Dream Date", por Larry Anderson. Extracto tomado de TAKING THE TRAUMA OUT OF TEEN TRANSITIONS por Larry Anderson © 1991. Usado con autorización del autor.

"Magical Moments", por Rhonda Marcks. Usado con autorización de la autora.

"The New Kid", tomado de MORE RANDOM ACTS OF KINDNESS por los editores de Conari Press, © 1998 por los editores de Conari Press, con autorización de Conari Press.

"In the Dugout", por Jack Eppolito. Tomado de *Christian Reader* (julio/agosto 1996). Usado con autorización.

"Live!", por Emily Campagna. Usado con autorización de la autora. Citado de su discurso de graduación de la Escuela Secundaria Mountain View High School, 1999.

"Seeing Each Other in a Different Light", por Susan Manegold. Usado con autorización de la autora. Impreso originalmente en la revista *Women's World.*

HACIENDO LA DIFERENCIA

"Goodwill", por Cynthia Hamond. Tomado de CHICKEN SOUP FOR KIDS. Usado con autorización de la autora.

"Little Lies", por Meredith Proost. Una versión anterior de "Little Lies" por Meredith Proost apareció en TREASURES: STORIES & ART BY STUDENTS IN OREGON, editado por Chris Weber y publicado por Oregon Students Writing & Art Foundation, © 1985. Reimpreso con autorización.

"Standing Tall", por Steve Farrar. Extracto tomado de STANDING TALL por Steve Farrar, Multnomah Books, Sisters, OR, © 1994. Usado con autorización.

"I Should Have Said Something...", por Christy Simon. Reimpreso de la revista *Campus Life* (marzo/abril 1998). © 1998.

Christina M. Simon, escribe para la revista *Campus Life.* Es graduada en la Universidad de Evansville, Indiana, donde es editora en jefe del periódico de la universidad, *The Crescent.* Usado con autorización de la autora.

"Call Me", por Cynthia Hamond. © 1998. Usado con autorización de la autora.

"Dump Boy", por Philip Gulley. Extracto tomado de HOME TOWN TALES por Philip Gulley, Multnomah Publishers, Inc., Sisters, OR, © 1998. Usado con autorización.

"Are You Wondering Where Your Son Is?", por Tim Hansel. Extracto tomado de WHAT KIDS NEED MOST IN A DAD por Tim Hansel, Fleming H. Revell, una división de Baker Book House Company, © 1984. Usado con autorización.

"The Winning Check", es un extracto tomado de GOD'S LITTLE DEVOTIONAL BOOK. Honor Books, Inc. Tulsa, OK, © 1995. Usado con autorización.

"¡Yerr Out!", por Clark Cothern. Extracto tomado de AT THE HEART OF EVERY GREAT FATHER por Clark Cothern, Multnomah Publishers, Inc., Sisters, OR, © 1998. Usado con autorización.

"Foolproof", por Alan Cliburn. Extracto tomado de WWJD STORIES FOR TEENS por Karen DeSollar. Harbor Books, Tulsa, OK, © 1998. Usado con autorización.

"The Toolbox", por Joshua Harris. Extracto tomado de I KISSED DATING GOODBYE por Joshua Harris, Multnomah Publishers, Inc., Sisters, OR, © 1997. Usado con permiso.

"The Joy Ride", por Suzy Ryan. © 1999. Suzy Ryan vive con su familia en el sur de California. Usado con autorización de la autora.

"Making Sarah Cry", por Cheryl L. Costello-Forshey. Usado con autorización de la autora.

CAMBIOS

"Eight Grade Bully", por Mike Buetelle. Usado con autorización del autor.

"Wake-up Call", por Bob Welch. Extracto tomado de A FATHER FOR ALL SEASONS por Bob Welch. © 1998 por Bob Welch. Publicado por Harvest House Publishers, Eugene, OR 97402. Usado con autorización.

"Full Circle", por Janna L. Graber. © 1997. Janna Graber es periodista y escribe para el periódico *Chicago Tribune* y numerosas revistas, como *Family Circle,* y *Moms on Call.* Su correo electrónico es: janna.graber@reporters.net. Usado con autorización de la autora.

"My Own Rainbow", por Randi Curtiss. Extracto tomado de WHERE THE HEART IS, recopilado por Chick Moorman. Personal Power Press, Saginaw, MI, © 1996. Usado con autorización del autor.

"Curse or Blessing", por Max Lucado. Extracto tomado de IN THE EYE OF THE STORM por Max Lucado, © 1991, Word Publishing, Nashville, Tennessee. Todos los derechos reservados.

"She's Seventeeen", por Gloria Gaither. Extracto tomado de LET'S MAKE A MEMORY por Gloria Gaither & Shirley Dobson, © 1983, Word Publishing, Nashville, Tennessee. Todos los derechos reservados.

"Dad", autor y fuente original desconocidos.

"The Signal", según el relato de Alice Gray. Tomado de una historia familiar relatada por mi madre y otros.

"The Riddle", autor desconocido. Como se citó en MORE OF... THE BEST OF BITS AND PIECES. Publicado por Economics Press, Inc., 12 Daniel Rd., Fairfield, NJ 07004; 1-800-526-2554; Web site www.epinc.com. © 1997, pág. 87.

"Choices", por Sara Ann Zinn. Usado con autorización de la autora.

"Best Friends", por Alicia M. Boxler. Usado con autorización de la autora.

FE

"Kevin's Different World", por Kelly Adkins. Tomado de la revista *Campus Life* (enero/febrero 1999). Usado con autorización de la autora.

"How Sweet the Sound", por Cynthia Hamond. © 1999 Usado con autorización de la autora.

"The Bullet", por Doris Sanford. © 1997. Usado con autorización de la autora. Doris Sanford es autora de veintinueve libros y es consultora para un programa estatal para niños que sufren maltrato.

"¡Shark Attack!", por Rick Bundschuh. Tomado de la revista *Breakaway* (julio 1998). Usado con autorización del autor.

"The Saint of Auschwitz", por Patricia Treece. Esta historia se adaptó del libro A MAN FOR OTHERS por Patricia Treece. Publicado por Harper San Francisco y Marytown Press, © 1982. Usado con autorización del autor. Citado de SIX HOURS ONE FRIDAY por Max Lucado. (Multnomah Publishers, Inc.).

"Color Don't Matter", por Randy Alcorn. Extracto tomado de DOMINION por Randy Alcorn, publicado por Multnomah Books, Sisters, OR, © 1996. Usado con autorización.

"One Rotten Day...", por Rachel Schlabach. Reimpreso de la revista *Campus Life* (enero/febrero 1999). Rachel Schlabach es nativa de Cincinnati, Ohio. Su interés por el periodismo surgió al escribir críticas de música cristiana para revistas. Usado con autorización de la autora.

"There is Always a Reason", por Missy Jenkins. Este artículo apareció por primera vez en la revista *Today's Christian Woman* (septiembre/octubre 1998), una publicación de Christianity Today, Inc. Usado con autorización de la autora.

"Fifth-Period Fears", por Robin Jones Gunn. Autora de más de cuarenta y cinco libros incluyendo MOTHERING BY HEART y la serie Glenbrooke por Multnomah Publishers, y la serie Christy Miller. Usado con autorización de la autora. Tomado de la revista *Worldwide Challenge*.

"Take Me Back", por Heather Floyd. Extracto tomado de STEADY ON... SECURED BY LOVE, por Point of Grace, © 1998. Howard Publishing, West Monroe, LA. Usado con autorización.